Edgar Wall

L'ORMA GIGANTE

Edizione integrale

COMPAGNIA DEL GIALLO
GRUPPO NEWTON

Personaggi principali

Patrick J. Minter, detto Super
soprintendente di polizia

Jim Ferraby
procuratore distrettuale

Sergente Lattimer
funzionario di polizia

Bolderwood Lattimer
zio del sergente Lattimer

Luke Mark Sullivan
un vagabondo

Gordon Cardew
ex notaio e proprietario di "Barley Stack"

Hannah Shaw
governante di Cardew

Elfa Leigh
segretaria di Cardew

Stephen Elson
vicino di casa di Cardew

Colonnello Lauglay
direttore della polizia giudiziaria

John Kenneth Leigh
funzionario del ministero del Tesoro degli Stati Uniti

Illustrazione in copertina
su licenza della Garden Editoriale s.r.l.

Titolo originale: *Big-Foot*
Traduzione di P.E. Ribotta

ISBN 88-7983-191-7

Il Giallo Economico Classico — Numero 8 — 22 maggio 1993, ristampa agosto 1994 — Pubblicazione settimanale — Direttore responsabile: Rosella Presciuttini Maggiulli — Registrazione n. 151 del 5 aprile 1993 presso il Tribunale di Roma — Fotocomposizione GI Grafica Internazionale s.r.l., Roma — Stampato per conto della Finedim s.r.l., Compagnia del Giallo, Roma, presso la Rotolito Lombarda S.p.A. Pioltello (MI) su carta Libra Classic della Cartiera di Kajaani distribuita dalla Fennocarta s.r.l., Milano — Copertina stampata su cartoncino Fine Art Board della Cartiera di Aanekoski — Distribuzione nazionale per le edicole: A. Pieroni s.r.l., Viale Vittorio Veneto, 28 — Milano — telefono 02-29000221, telex 332379 PIERON I — telefax 02-6597865 — Consulenza diffusionale: Eagle Press s.r.l., Roma.

1. Super

Fu per mera combinazione che in quella magnifica mattinata di primavera Super si fermò davanti a Barley Stack, la proprietà di Cardew. In quel momento infatti, egli ignorava non solo il tentativo di scasso di cui la casa di Stephen Elson era stata oggetto ma anche l'esistenza di Sullivan il vagabondo. Come pure ignorava che l'indolente complice di quest'ultimo bighellonava per la dolce campagna circostante, canticchiando in una lingua poco comprensibile alcune allegre canzonette ispirate a temi d'amore.

Ma Barley Stack attirava Super come la luce attira la falena o, meglio ancora, come l'odore della battaglia invita il vecchio cavallo da guerra. Pure avrebbe dovuto sapere che Cardew, a quell'ora, era già partito per la città. Per quanto si fosse da tempo ritirato dagli affari, aveva conservato l'abitudine di partire per Londra alle nove precise del mattino.

Comunque, Super si fermò a Barley Stack. Invece di avere con Cardew una di quelle conversazioni nel corso delle quali i due uomini si punzecchiavano a vicenda, pensò che lo avrebbe maggiormente soddisfatto un incontro con Hannah Shaw. Questa donna, nota principalmente per la sua notevole mancanza di perspicacia, detestava di tutto cuore il vecchio soprintendente di polizia, arrivando fino a provare, per la natura delle sue funzioni, come per lui stesso, un disprezzo che si guardava bene dal dissimulare.

Era una donna di media statura, corpulenta. Il suo vestito di alpaca non metteva in valore il suo genere di bellezza; eppure era avvenente e quasi piacevole a vedersi. Il suo viso, sebbene poco affascinante, era regolare e non aveva rughe; e i suoi abbondanti capelli erano ancora neri, per quanto avesse già passato la quarantina.

— Bel tempo, stamattina — mormorò Super con noncuranza, appoggiandosi alla sua vecchia motocicletta — e che bel giardino! Non ho mai visto tanti garofani e tanti narcisi insieme! Scommetto che avete un giardiniere eccezionale. C'è il signor Cardew?

— No.

— Scommetto che sta dando la caccia a qualche delinquente — disse Super con un'aria di ammirazione rispettosa che per altro non gli impediva di sorridere a fior di labbro. — Si occupa forse del furto alla Boscombe Bank? Quando ho letto il fatto sui giornali, ho detto a un mio amico: "Qui, per far luce su questo fatto, ci vuole un tipo come Cardew. La polizia non sarà capace di trovare il minimo indizio e...".

— Il signor Cardew è andato in ufficio, come sapete benissimo, signor Minter (Super era il soprannome del soprintendente) — rispose seccamente Hannah. — Ha qualche cosa di meglio da fare che occuparsi degli affari della polizia. Noi contribuenti paghiamo perché la polizia faccia il suo dovere, e invece, ditemi a che cosa serve questa banda di gente ignorante e per giunta maleducata!

— La polizia non può arrivare dappertutto — rispose Super malinconicamente. — Siate ragionevole, signora Shaw.

— Signorina Shaw — corresse impetuosamente Hannah.

— Scusatemi. State pur certa che quando penso a voi penso sempre a una signorina. Proprio l'altro giorno dicevo al mio sergente: "Come si spiega che quella donna non si sia ancora maritata? Non capisco. È giovane; è...".

— Io non ho tempo da perdere, Minter...

— Signor Minter — rettificò gentilmente Super.

— Se avete qualche commissione per il signor Cardew ditemelo e la farò; altrimenti... ho molto da fare.

— Nessun furto? — domandò Super mentre ella si allontanava.

— No — rispose lei seccamente — e se ce ne fossero non vi manderemmo certamente a cercare.

— Questo lo sapevo; e scommetto anche che a Cardew basterebbe rilevare le tracce del ladro, gettare un'occhiata sul suo libro di... *antro*... insomma quello, e il povero malfattore questa sera stessa sarebbe acciuffato.

Hannah Shaw lo fulminò con lo sguardo. — Non fate troppo lo spiritoso e permettetemi di dirvi che a Londra c'è molta gente di fronte alla quale siete ben poca cosa; e se il signor Cardew andasse a trovare il capo della polizia e gli raccontasse la quarta parte di quello che voi dite e fate non conservereste molto a lungo la vostra uniforme.

Super si guardò le maniche con aria sorpresa. — Che cos'ha la mia uniforme? — esclamò mentre lei gli chiudeva brutalmente la porta in faccia.

Super non sorrise e non sembrò offeso. Inforcò la sua motocicletta e tornò sulla strada.

Una mezz'ora più tardi dichiarava, strizzando l'occhio al giovane ufficiale di polizia seduto in faccia a lui: — Quando un uomo ha raggiunto il grado sociale che io ho raggiunto, vuol dire che possiede un certo... temperamento. Ebbene, oggi più che mai ho del temperamento. Ora, c'è qualche cosa di primaverile nell'aria e scommetterei che la domenica scorsa ho sentito cantare un cuculo. Orbene, quando i cuculi cantano e le primule spuntano, io ho del temperamento. Ho avuto or ora una conversazione con la bella di Barley Stack e ho la testa piena d'idee sentimentali. Voi mi consigliate d'interrogare quel vagabondo e io vi rispondo che preferirei andare a cogliere fiori sulla riva del fiume.

Super era alto, angoloso e molto disordinato nella persona. La sua uniforme, già vecchia prima della guerra, era stata diverse volte pulita, riparata e rivoltata. Ma il suo viso magro e abbronzato e le sue grosse e folte sopracciglia grigie gli conferivano una distinzione in contrasto col suo vestito logoro.

C'erano numerosi soprintendenti di polizia, ma quando negli uffici di Scotland Yard si pronunciava il nome di Super, tutti sapevano che si trattava del soprintendente Patrick J. Minter.

— Interrogatelo voi, codesto vagabondo — e Super alzò la mano con un gesto da gran signore; poi: — Gli affari seri riguardano ormai il mio passato. Sentendomi invecchiare, ho chiesto di essere relegato in questo angolo di campagna, dove posso allevare conigli e polli e contemplare la natura in tutto il suo splendore e maestà.

La divisione "I" della polizia inglese comprende la parte della periferia di Londra confinante con la contea di Sussex. Essa è notoriamente conosciuta come una divisione assolutamente tranquilla, nella quale non si annoverano altri delitti che il vagabondaggio, la caccia di frodo e gli incendi di covoni di fieno. La polizia di questa regione è chiamata ironicamente dagli ispettori londinesi la "legione perduta".

Super era stato trasferito da Scotland Yard a quella piacevole sede non certo per punizione (egli era l'elemento principale dei "famosi cinque" che avevano arrestato la banda russa di Whitechapel) ma, è meglio parlar chiaro, perché i capi della polizia londinese non potevano più sopportarlo. Non rispettava nessuno, non era cortese con nessuno. Litigava con tutti, discuteva e, all'occasione provocava; e siccome, nella gran maggioranza dei casi, aveva ragione, gli altri non lo tolleravano più. Una volta assodato che il torto era dei suoi superiori e non suo, andava strombazzando il fatto venti o trenta volte al giorno.

— Che cosa guadagnerei — proseguì — a occuparmi di quel vagabondo? Una noiosa interruzione nei miei studi. Avete mai sentito parlare di Lombroso? No? Allora voi ignorate tutto ciò che riguarda il cervello di un criminale. I cervelli ordinari pesano... Ho dimenticato esattamente quanto pesano, ma il cervello del criminale è più leggero. Portatemi il cervello di quest'uomo e io vi dirò se aveva intenzione o no di penetrare in Hill Brow. E il piede prensile, hanno. Sapevate che il cinque per cento dei criminali hanno il piede prensile? Ignoravate che le teste oxicefaliche sono di moda negli assassini? Andate ad esaminare quel vagabondo e di certo riscontrerete l'asimmetria del suo volto. È un giuoco da ragazzi.

Il sergente Lattimer era troppo intelligente per interrompere il suo superiore; ma infine credette di poter parlare. — Non si tratta di un furto ordinario, capo. Secondo quanto dice Sullivan, il vagabondo, che era suo complice, non voleva lasciarlo entrare nella casa del signor Elson per rubare denaro. Voleva un'altra cosa...

— Voleva forse conoscere le prodezze degli antenati della famiglia? Oppure esaminare l'atto di nascita dell'erede? A meno che Elson, americano d'origine, non abbia sottratto il rubino sacro incastrato nell'occhio destro del dio Hokum e che alcuni sinistri indiani non l'abbiano seguito qui, aspettando l'occasione di rientrare in possesso del gioiello. Ecco un affare per Cardew. Riuscirete a sbrogliarvela da solo, sergente? In tal caso, vi pubblicheranno la fotografia su tutti i giornali e sposerete una cameriera che in seguito si scoprirà che è figliuola di duchi, rapita dagli zingari quando era bambina. Avanti, avanti, sergente!

2. Una Hannah inaspettata

Con una pazienza ammirevole, il sergente aveva continuato ad ascoltare il suo superiore. Poi, finalmente, poté parlare: — Ho arrestato Sullivan la notte scorsa, perché si era addormentato nel parco di una proprietà privata. D'altronde ora ha quasi confessato che aveva l'intenzione di penetrare nella casa del signor Elson.

— Andate, andate e non dimenticate soprattutto di osservargli le orecchie — mormorò Super prendendo una penna dalla tavola. — Avete osservato che le orecchie dei criminali e dei paranoici hanno sempre la forma di un parabrezza? L'ho letto in un libro e i libri non mentono. Il mestiere dell'investigatore non è più quello di una volta, sergente. Adesso occorre essere esperti di fisiognomica, di chimica. Sapete che idea mi son fatto dell'investigatore ideale? Immaginate un tipo seduto davanti a un enorme microscopio, in un immenso laboratorio, e che dopo aver esaminato una goccia del fango di Londra, scopre che i gioielli furono rubati da un mancino che guidava una Roll-Royce ultimo modello, con la carrozzeria verde. Avete mai incontrato Jim Ferraby?

— Jim Ferraby? Sì, l'ho visto il giorno in cui è venuto a trovarvi qui.

Super scosse la testa; strinse le mascelle e poi socchiuse le labbra per mettere in mostra due file di denti solidi e bianchi. Sorrideva. — Ebbene, Ferraby non è un investigatore — dichiarò con enfasi. — Ferraby non capisce che i fatti. Se, putacaso, fosse incaricato di far luce sul mistero della scomparsa del braccialetto di... del rajah di Bongo, per esempio, e se scoprisse che il braccialetto in questione fu impegnato dal Gran Visir del detto rajah, egli arresterebbe subito il Gran Visir. Ora, non è così che si comporterebbe un vero detective. Questi, per induzione e deduzione, concluderebbe immediatamente che il braccialetto fu perduto dal rajah quando si precipitò sulla giovane e affascinante stenodattilografa, la quale, imbavagliata e nascosta dietro un pannello segreto, è pronta per essere spedita in areoplano a un palazzo dell'Imalaia, interamente costruito di lapislazzuli. Cardew, lui sì è un poliziotto, e voi fareste bene a tenerlo sempre come esempio.

Super diresse la punta della penna verso il suo subordinato. — Quell'uomo studia il delitto sotto tutti i suoi aspetti. È un psi... un psico... ecco quello che è. Le orecchie, le mascelle prognate, i visi asi... asimmetrici e via dicendo, non hanno segreti per lui. E non vi parlo della biblioteca che possiede a Barley Stack!

Quando Super cominciava a parlare di Gordon Cardew era ben difficile fargli cambiare argomento. Il sergente, pur con molto rispetto, emise un lungo sospiro. — Volete interrogare quell'uomo, Super? Ha quasi confessato di esser venuto in questi paraggi per compiere un furto.

Con sorpresa di Lattimer, il soprintendente fece un cenno affermativo con la testa. — Sta bene, lo interrogherò. Conducetelo qui.

Il sergente si alzò rapidamente e si allontanò. Tornò pochi minuti dopo, precedendo un enorme individuo dal viso patibolare e dal contegno imbarazzato.

— Ecco Sullivan — annunciò.

Super posò la penna, si tolse gli occhiali e fissò il detenuto. — Che cos'è questa storia di un vostro collega che voleva impedirvi d'entrare a Hill Brow, ossia nella proprietà del signor Elson? — gli domandò a bruciapelo. — E se avete intenzione di mentire ricordatevi di offrirci menzogne plausibili.

— Ho detto la verità, capo — dichiarò l'uomo con una voce rauca. — Vorrei crepare subito se non è vero che quell'imbecille mi ha trattenuto proprio quando mi preparavo ad aprire la finestra. Eppure, avevamo preparato tutto insieme. Fu lui che mi dette tutte le indicazioni e mi spiegò dove l'americano nascondeva il gruzzolo. Vorrei crepare subito se...

— Se non è vero! I vagabondi non muoiono mai — tagliò corto Super. — Sullivan? Sì, sì, mi ricordo. La vostra ultima condanna è stata tre anni di prigione per furto. Luke Mark Sullivan, mi ricordo anche i vostri nomi di battesimo.

Sullivan si grattò la testa imbarazzato.

— Che cosa ci potete dire del vostro compagno? — proseguì Super.

Sullivan non ne sapeva gran cosa. Aveva conosciuto quell'uomo nel Devonshire e aveva sentito parlare di lui da qualche avventuriero da strada.

— È completamente pazzo, capo. Non lo dico io, lo dicono tutti. Viaggia sempre solo, cantando, e parla in un modo strano come se avesse studiato. E qualche volta parla in certe lingue che non si capisce niente.

Super si rovesciò sulla sedia. "Egli non potrebbe inventare tutto ciò... D'altronde il peso del suo cervello...", mormorò fra sé e poi rivolto a Sullivan: — Dove abita?

— Dappertutto; ma credo che ci sia un punto, vicino al mare, dove risiede di preferenza. Mi ha domandato spesso (abbiamo vissuto insieme una settimana) se mi piacevano i battelli. Mi diceva che passava giornate intere a guardarli e a domandarsi quale fra di essi affonderebbe e quale no. Vi dico che è pazzo! E dopo che avevamo deciso di fare un furtarello in quella casa, sapete che ha fatto? Si è messo a girare intorno a me come un cane arrabbiato e a dirmi: "Vattene, vattene, le tue mani non sono abbastanza pulite per..." non mi ricordo più il resto, ma mi pare che parlasse di giustizia... Vi dico che è un pazzo.

Il soprintendente fissò a lungo lo sguardo sul vagabondo. — Voi mentite per la gola! — esclamò infine. — E vi è impossibile di dire la verità perché avete un paio d'occhi stranissimi. Riportatelo in gabbia, sergente. Lo faremo impiccare.

Sullivan fu ricondotto in cella. Il sergente aveva quasi terminato di far colazione e Super non si era ancora mosso dalla seggiola. Egli era rimasto immobile, silenzioso e con la penna fra le mani. Infine si alzò, fece una smorfia, si tolse le pantofole che portava sempre nelle ore di ufficio e si mise le scarpe brontolando.

Lattimer era alla frutta quando il vecchio poliziotto entrò nella mensa dei sottufficiali. — Sapete qualcosa di quell'americano? — domandò. — Restate pure seduto, sergente, e seguitate a mangiare.

— No, capo. So solo che è ricchissimo, a quanto dicono.

— Questa deduzione coincide con le mie — constatò Super. — Quando un uomo vive in una villa grande e bella, quando possiede quattro automobili e venti domestici, si può dedurre che ha denaro. Voglio andare a fargli una visitina.

Super aveva una motocicletta d'aspetto del tutto particolare, che stava a una motocicletta normale come una capanna di frasche sta a Buckingham Palace. Tutti gli anni, a primavera, Super la smontava completamente, e sotto gli occhi stupiti del sergente Lattimer, la rimontava in modo da farla sembrare nuova di zecca. Questo probabilmente non era altro che un'illusione, dovuta al cambiamento di colore che il vecchio poliziotto infliggeva annualmente alla sua macchina. Essa infatti era passata successivamente dall'azzurro cielo al color tango, e dal verde spinaci al vermiglio. La cosa più curiosa era che quella motocicletta si dimostrava eccellente e, in grazia a un incomprensibile miracolo, capace di viaggiare a velocità impressionanti.

Pochi minuti bastarono a Super per arrivare a Hill Brow. Appoggiata la sua moto contro un albero, si diresse lentamente verso la sontuosa villa di Stephen Elson.

Il vestibolo era deserto, ma egli udì due voci, una femminile e l'altra maschile. Sembrava provenissero da una stanza che si apriva sul vestibolo e la cui porta era socchiusa. Apparve una mano, le cui dita si posarono sullo stipite di quella porta, ma non l'aprirono. Super allungò l'indice verso il campanello elettrico della porta d'ingresso quando...

— Il matrimonio o niente, Steve! È troppo tempo che aspetto il compimento della promessa. Sono stanca di promesse! Del denaro, che cosa volete che ne faccia? Non sono ricca tanto quanto voi?

In quel momento, la porta si aprì e Super vide la persona che aveva parlato. Per quanto non l'avesse vista che di spalle, il soprintendente riconobbe Hannah Shaw.

Egli contemplò un attimo la sua figura; poi si allontanò senza fare rumore e saltò agilmente sulla balaustra del balcone. Hannah non aveva visto neanche la sua ombra. Per esser più sicuro di far passare inosservata la sua presenza a Hill Brow, Super portò la motocicletta a mano per quasi due chilometri.

3. Una strana requisitoria

Dopo aver attraversato Temple Gardens col passo di un uomo cui piace passeggiare, Jim Ferraby osservò un'ultima volta l'argento mobile e cupo del Tamigi e quindi penetrò in un vasto edificio, ne salì la scala buia e si fermò davanti alla gran porta nera del suo ufficio. Stava introducendo la chiave nella serratura quando la porta opposta alla sua, dall'altra parte del pianerottolo, si aprì. Egli si voltò e sorrise alla ragazza che apparve sulla soglia. — Buongiorno, signorina Leigh — salutò allegramente.

Lei fece un piccolo cenno con la testa. — Buongiorno, signor Ferraby.

La sua voce era bella, stranamente dolce e carezzevole. Fin dall'inizio, era stata proprio la voce ad attirare l'attenzione di Ferraby verso la giovane segretaria del vecchio Cardew. Anche questa volta, per quanto incosciamente, egli ne subì il fascino sottile; ma più che a quella musica, egli si sentiva particolarmente sensibile allo sguardo lontano di quegli immensi occhi grigi e alla purissima bellezza di quel viso. — Suppongo, signor Ferraby, che la vostra requisitoria abbia dato i suoi frutti e che quel disgraziato attualmente sia in prigione.

— Tutto il contrario, signorina — rispose egli calmo. — Ho tutto il diritto di credere che a quest'ora Sullivan stia bevendo un boccale di birra alla mia salute.

La ragazza era visibilmente stupita. — Oh, scusatemi. Ma allora, a che cosa bisogna attribuire lo smacco? Cardew diceva che quell'uomo sarebbe stato certamente condannato.

— Avrebbe dovuto esserlo, infatti, ed è stata proprio la mia requisitoria che l'ha salvato. Io credo, signorina, di avere una mentalità da criminale. Figuratevi che mentre parlavo per inchiodare quell'uomo, non facevo che pensare a lui. Contro la mia stessa volontà gli cercavo e gli trovavo le scuse, i pretesti... Mi mettevo nei suoi panni e costruivo, scoprivo le frasi che egli avrebbe dovuto dire, le spiegazioni che avrebbe dovuto dare. Senz'accorgermene arrivai a difenderlo, o giù di lì. Inutile dirvi che quella mia prima requisitoria sarà stata anche l'ultima... almeno così mi ha fatto capire il giudice.

Mentre la ragazza sorrideva a quel racconto, che in fondo era pieno di buonumore, si udì un passo fermo su per le scale. Chinandosi sulla ringhiera, Jim scorse la tesa del cappello di Cardew.

Cardew era un uomo dal volto grave, con due piccoli occhietti neri dall'espressione simpatica, protetti da due imponenti sopracciglia. Egli si distingueva per l'impeccabilità del suo aspetto e per il tono un po' pedante dei suoi discorsi. Con l'ombrello sotto il braccio, le mani incrociate sul dorso arrivò sul pianerottolo con l'aria leggermente preoccupata. — Salute, Ferraby — esclamò vedendo il giovane. — Si dice che il vostro uomo sia in libertà; è vero?

— Le cattive notizie arrivano sempre presto — brontolò Jim. — Sì, signore, è vero.

— Passate un momento da me, Ferraby.

Jim seguì l'ex-notaio nel lussuoso ufficio dove egli non si occupava più che dei suoi affari personali, che si dicevano molto importanti. Chiusa la porta, i due uomini si sedettero e, accesi i sigari, — Vi ho rivolto quella domanda — dichiarò Cardew — solo perché Stephen Elson è mio vicino. Non per altro e... beviamoci sopra un bicchierino di Porto.

Jim si domandava per quale ragione, per la prima volta da cinque anni che si conoscevano, Cardew l'avesse fatto entrare nel suo ufficio. L'atteggiamento dell'ex-notaio rivelava chiaramente che l'invito aveva uno scopo ben determinato. Evidentemente nervoso e preoccupato, camminava in su e in giù per la stanza e di tanto in tanto si fermava davanti al suo tavolino per spostare, senza motivo, un foglio di carta o cambiar di posto a un posacenere, a una seggiola... — Ho pensato a voi tutta la mattina — dichiarò a un tratto — e mi sono chiesto se dovessi consultarvi o no. Voi conoscete, vero, la mia governante Hannah Shaw?

Jim ricordava perfettamente quella scortese donna che si esprimeva a monosillabi; ogni volta che aveva avuto occasione di dir bene di Super davanti a lei, non aveva mai tralasciato di manifestare la sua avversione per il vecchio poliziotto.

Cardew rivolse a Ferraby il suo sguardo penetrante. — Lo so che quella donna non vi piace. È stata scortese con voi l'ultima volta che siete venuto. Me lo ha raccontato il mio autista a cui piace chiacchierare. Indiscutibilmente non è una donna piacevole, pure essa mi conviene per varie ragioni, non ultima quella di essermi stata affidata, in certo modo, dalla mia povera moglie, che l'aveva raccolta da un asilo di orfani quando era ancora bambina. Salvo le proporzioni, posso paragonare Hannah a quei *terrier* scozzesi che abbaiano a tutti, meno che al padrone.

Tolse il portafogli di tasca, ne levò un foglio, lo spiegò e lo mise sulla tavola. — Leggete — disse.

Era un foglio di carta ordinario, che non portava né indirizzo né alcun'altra indicazione. Il testo era composto di tre linee manoscritte in lettere maiuscole:

VI HO AVVERTITO GIÀ DUE VOLTE.
QUEST'AVVERTIMENTO È L'ULTIMO.
MI AVETE RIDOTTO ALLA DISPERAZIONE.

Il foglio era firmato *Big-Foot*.

— Big-Foot? E chi è questo Big-Foot? — domandò Jim rileggendo il foglio. — Sono dirette alla vostra governante, queste minacce? Ed è lei che vi ha passato questa lettera anonima, o quasi-anonima?

Cardew scosse la testa. — No. Questa carta è venuta in mio possesso in un modo strano. L'ultimo giorno del mese Hannah mi porta in ufficio le fatture dei fornitori e le posa su questa cartella. Ha l'abitudine di cacciarle alla rinfusa nella sua borsa, senza metodo, senza ordine. La lettera che avete letto si trovava nelle pieghe della fattura del droghiere ed evidentemente ce l'ha lasciata lei senza accorgersene.

— Gliene avete parlato?

Cardew aggrottò le sopracciglia. — No — rispose. — Le ho spiegato che aveva in me un protettore e che in caso di pericolo non doveva esitare a ricorrere a me per cercare aiuto. Per tutta risposta, lei si è limitata a ridermi sul muso... Proprio, non c'è altra espressione, mi ha riso sul muso.

Sospirò profondamente e riprese: — Io detesto le facce nuove e sarei seccatissimo se dovessi perdere Hannah. Se il suo comportamento fosse diverso, l'avrei informata subito della mia scoperta, ma per dirvi la verità, mi sentirei molto, ma molto imbarazzato se dovessi dirle che una lettera appartenente a lei si trova in mio possesso. Abbiamo già avuto, una volta, una scena molto sgradevole a proposito di qualche cosa di simile e una nuova discussione di questo genere rischierebbe di separarci definitivamente. Che cosa ne pensate di questa lettera?

— Secondo me, deve venire da un malfattore qualunque — suggerì Jim. — È scritta con la mano sinistra per contraffare la calligrafia. Io credo che dovreste chiederle spiegazioni.

— Chiedere spiegazioni ad Hannah? — gridò Cardew spaventato. — Non mi azzarderei mai. No; tutto quello che posso fare è tener gli occhi aperti e alla prima occasione, ossia quando Hannah sarà d'umore accettabile, possibile, cosa che di solito le succede un paio di volte l'anno, affrontare l'argomento con molta precauzione.

— E perché non vi rivolgete alla polizia?

Cardew sobbalzò. — Ossia al soprintendente Minter, detto Super, non è vero? E voi credete che io possa rivolgermi a quella specie di poliziotto stupido e senza immaginazione? No. Se la lettera in questione nasconde un mistero, credo che sarò capace di metterlo in chiaro da me. E credo che un mistero esista. — Poi sottovoce: — Come sapete, io possiedo una casetta, una specie di *bungalow*, sulla spiaggia di Pawsey Bay. È una vecchia abitazione di guardacoste. La comprai per poche sterline durante la guerra e vi ho trascorso ore gradevoli. Oggi non ci vado che molto di rado e quella piccola proprietà è diventata come la casa di campagna dei miei domestici. L'anno scorso, per una settimana, c'è stata la signorina Leigh e vi ha vissuto in compagnia di qualche amica. Questa mattina sono stato molto sorpreso quando Hannah è venuta a domandarmi se poteva passare la prossima fine settimana al *bungalow*. Infatti non solo erano anni che non ci andava, ma ha un vero odio per quel luogo e me lo ripeteva non più tardi di una settimana fa. Ora io mi domando se quest'improvviso viaggio a Pawsey non abbia qualche rapporto con la lettera.

— Fatela sorvegliare da un investigatore — consigliò Jim, poi aggiunse con trasporto: — Da un investigatore privato.

— Ho già quest'idea, ma mi ripugna far spiare Hannah. Ricordatevi che è al mio servizio da quasi venti anni. Naturalmente le ho accordato il permesso che chiedeva. In generale, ella passa il tempo libero a percorrere la campagna in una vecchia Ford che il mio autista le ha insegnato a guidare alcuni anni fa. Ma non si tratta di un cambiamento d'aria. Io le passo un buon salario e potrebbe permettersi di scendere in un albergo conveniente senza andare a Pawsey, a meno, beninteso, che ella non vi abbia dato appuntamento a questo misterioso Big-Foot. Qualche volta mi domando se non sarà un po' ... — e si toccò la fronte con l'indice.

Jim si domandava ancora perché Cardew aveva fatto di lui il suo confidente; ma il suo dubbio doveva essere presto risolto.

— Venerdì do un pranzo a Barley Stack; vorrei che foste dei nostri e che apriste bene gli occhi. Quattro occhi vedono più di due e potreste osservare ciò che può darsi a me sia sfuggito.

Jim stava per cercare un pretesto per sottrarsi all'invito, quando Cardew proseguì: — Non avete nulla in contrario a incontrare la signorina Leigh fuori dal mondo degli affari? La mia segretaria viene a Barley Stack per catalogare le opere complete di Mantegazza che ho comprato or ora...

— Accetto col più grande piacere — si affrettò a rispondere James Ferraby.

4. Il pranzo a Barley Stack

— Conoscete il signor Elson?

Jim Ferraby conosceva abbastanza Stephen Elson per non desiderare di conoscerlo di più. Quest'ultimo era stato il principale testimone a carico nell'affare Luke Mark Sullivan e aveva considerato il rilascio del vagabondo come un affronto personale.

Inoltre Jim era prevenuto contro Elson per diverse ragioni, tra cui l'invadente ammirazione che questo gentiluomo nutriva per Elfa Leigh. Jim lo giudicava insolente e sperava che anche Elfa lo giudicasse così. Non che la ragazza lo interessasse in modo straordinario. Era semplicemente la signorina del pianerottolo di fronte; aveva una bella voce dolce, grandi occhi grigi, un colorito simile a quello delle donne sugli avvisi pubblicitari del sapone, e forme da fare ingelosire la Venere dei Medici ma niente di tutto ciò stuzzicava Jim Ferraby più di tanto, come lui stesso affermava. Era semplicemente una giovane donna affascinante, colta, bellissima, ed egli l'ammirava in un modo amichevole, filosofico. Con tutto ciò, la confidenza quasi familiare con la quale Elson parlava a Elfa lo disturbava infinitamente. D'altra parte, lo sorprendeva il fatto che l'americano fosse stato invitato a quel pranzo. Cardew non era for se un grande investigatore, ma era certamente sensibile a certi fenomeni atmosferici, poiché afferrò la prima occasione che gli si presentò per un colloquio particolare col giovanotto.

— Avevo completamente dimenticato la storia del vagabondo — spiegò a Jim. — È una cosa imbarazzante, evidentemente, ma debbo anche dirvi che è stato invitato in seguito all'insistenza di Hannah, e d'altronde è stata sempre Hannah che l'ha voluto qui. Questa volta, lui mi ha fatto osservare che non lo avevamo più invitato da un anno, e così mi sono deciso. Ho pensato che l'occasione era favorevole, dato che, se fossi da solo, non potrei tollerare la compagnia di quell'individuo.

Jim rise. — Non sono affatto imbarazzato — dichiarò — anche se quel signore non è stato molto amabile con me quando fu risolto l'affare Sullivan. Chi è? E perché è venuto a stabilirsi in Inghilterra?

Cardew scosse la testa. — Vorrei saperlo anch'io e finirò per saperlo — disse. — Di lui so solo che è molto ricco.

Girò lo sguardo nel salotto dove l'americano dalle larghe spalle faceva apertamente la corte alla ragazza.

— Pare che s'intendano bene — osservò un po' irritato. — Suppongo che essendo dello stesso paese...

— È americana la signorina Leigh? — domandò Jim, stupito.

— Ma sì. Credevo che lo sapeste. Suo padre, ucciso durante la guerra, era un funzionario del Ministero del Tesoro degli Stati Uniti. Credo abbia vissuto a lungo in Inghilterra, dove sua figlia è stata allevata. Non l'ho conosciuto, ma so che occupava una posizione importante. Sua figlia mi è stata raccomandata dall'ambasciatore americano a Londra.

Jim non aveva tolto gli occhi di dosso a Elfa mentre Cardew gli parlava. Non aveva mai notato, prima d'allora, quanto il nero stesse bene alle bionde, né che un vestito così semplice facesse risaltare tanto la bellezza di un corpo perfetto.

— Non l'avrei mai creduta americana — fu tutto quello che trovò da dire.

L'americano invece andava più svelto. — Siete originaria del New England, signorina, non è vero? È strano che non me ne sia accorto prima.

Elfa non sembrava molto entusiasta di trovarsi alla presenza di quel compatriota. Era un uomo dal viso sempre arrossato, dalle membra grosse, perennemente avvolto da un aroma di whisky e di sigaro spento. Aveva le gote gonfie, il naso bulboso.

—Quanto a me, sono dell'Ovest americano — dichiarò con compiacenza. — Conoscete San Paolo? È una bella cittadina. Ditemi, signorina Leigh, che cosa fa qui quel giovane... uomo di legge? — e accennò col mento nella direzione di Jim.

La domanda era stata fatta a voce alta o quasi, e Ferraby l'aveva sentita. Egli avrebbe pagato chissà che cosa per sentire la risposta.

— Il signor Ferraby è considerato uno dei nostri migliori procuratori — rispose tranquillamente la ragazza.

— Ah, sì? — rise Elson. — Può darsi che quel signore sia ammirevole nei salotti mondani, ma per quanto riguarda i tribunali, posso assicurarvi che si fa compatire.

— Siete un vecchio amico del signor Cardew? — tagliò corto Elfa, desiderosa di cambiare argomento.

— È un mio vicino. Uno dei nostri migliori notai, vero? — disse con ironia fissando la sua interlocutrice.

— Cardew non esercita più — rispose lei, e l'americano rise rumorosamente.

— Si appassiona alle avventure degli investigatori, no? — insistette. — Strano passatempo per un adulto!

I suoi occhi non lasciavano Elfa e testimoniavano anche troppo l'ammirazione fisica che la ragazza gli ispirava. Imbarazzatissima, ella gettò uno sguardo di ansietà verso Jim, che capì subito quello che succedeva e si avvicinò.

Cardew pareva fortemente a disagio e quando Hannah Shaw apparve, più rigida, più cupa, più ostile che mai, e dichiarò bruscamente che il pranzo era servito, poco mancò che all'ex notaio non cadessero gli occhiali dalla sorpresa. — Vorrei — pregò — aspettare qualche minuto ancora. Manca un invitato, Hannah. Ho pregato il nostro amico soprintendente di essere dei nostri questa sera.

Hannah fece un brusco movimento ma rimase in silenzio.

— L'ho incontrato oggi ed è stato molto cortese — spiegò Cardew come se volesse scusarsi, mentre la governante lasciava il salone.

Trascorsero cinque minuti. Il padrone di casa, nervoso, passeggiava avanti e indietro.

Tornò Hannah. — Quanto tempo dovremo aspettare ancora, signore?

Cardew dette un rapido sguardo al suo orologio. — Mettiamoci a tavola. Credo che il mio amico ormai non verrà più.

Viceversa, mentre gli invitati avevano appena finito di sorbire la minestra, il ritardatario apparve. — Mortificatissimo — mormorò mentre osservava i presenti attraverso le sue pupille semichiuse. — Sono così poco abituato ad accettare inviti a pranzo, che mi ero assolutamente dimenticato del vostro — si scusò rivolgendosi a Cardew. — Buonasera, signorina Hannah.

Gli occhi della governante si alzarono lentamente e incontrarono quelli dell'investigatore. — Buona sera, soprintendente — rispose con accento glaciale.

— Bel tempo oggi, osservò Super. — Raramente abbiamo giornate così calde in quest'epoca dell'anno.

Era la prima volta che Elfa vedeva il famoso poliziotto e provò immediatamente molta simpatia per quel vecchio così strano, vestito con un lucido *smoking*. Lo sparato della sua camicia ostentava due larghe macchie di ruggine e la sua cravatta sembrava irresistibilmente attirata dalla spalla destra. Con tutto ciò, il suo aspetto era quello di un aristocratico.

— È magnifico — sussurrò Elfa all'orecchio di Jim. — È il celebre Minter?

— Sì, è lui. Il re degli investigatori, almeno in Europa. Ma, ascoltatelo; sta stuzzicando Cardew.

— Io non sono fatto per andare in società — dichiarava Super con voce strascicata. — Mangio il pesce col coltello e confondo il bicchiere da vino bianco con quello per il vino rosso. Quello che manca a noi, investigatori professionisti, è l'educazione, come dicevo proprio oggi al mio sergente. E non parlo della psicologia e dell'*antro... antro...* aiutatemi, signor Cardew.

— *Antropologia* — precisò Cardew.

— Ecco; ma è anche necessario avere un buon paio d'occhi. Per leggere, i miei non valgono gran cosa, ma all'infuori di questo vedono a cento miglia di distanza. Non chiudete mai le tendine, signor Cardew?

Le tendine delle grandi finestre della sala da pranzo erano tirate e lasciavano vedere i contorni degli alti sicomori, neri sotto la cupa ombra del crepuscolo morente.

— No — rispose l'ospite sorpreso. — Perché? Siamo a cinquecento metri dalla strada e non abbiamo da temere indiscrezioni.

— Oh, era una semplice osservazione — si scusò Super. — E, ditemi, quanti giardinieri avete?

— Quattro o cinque, non mi ricordo bene.

— Non è cosa facile alloggiarli tutti — osservò l'investigatore.

— Non dormono qui. Per tornare all'antropologia...

Ma Super non desiderava tornare a nulla e insisté:

— Credevo che il giardino avesse ancora bisogno di certe cure, la notte.

— No — rispose Cardew visibilmente seccato. — I miei giardinieri se ne vanno alle sette e non permetterei loro certamente di vagabondare qui. Ma che cosa succede?

Super si era alzato e correva verso la porta. A un tratto si sentì un lieve scatto e le luci si spensero. — Lasciate la tavola e mettetevi tutti contro il muro! — tuonò la voce limpida e autoritaria del grande investigatore. — Ho spento io. C'è un uomo in giardino ed è armato di rivoltella.

5. C'è un uomo in giardino

Super avanzò lentamente in giardino. Il prato era deserto. Non si udiva nessun rumore, salvo il dolce fruscìo della brezza notturna tra le foglie. Si diresse verso il bosco attiguo alla proprietà, e si trovava a una distanza di circa quaranta metri quando udì una voce cantare nella notte:

Il re dei Mauri galoppa sul suo cavallo
A traverso la città regale di Granada...
Ay de mi Alhama!...

Super sussultò. C'era qualche cosa di così lamentoso nella melodia della vecchia ballata spagnola, qualche cosa di così tristemente disperato nella voce che ne cantava le vecchie parole, che l'investigatore, per un istante, restò immobile:

Dalle grandi porte d'Eloira a quelle
d'Evirramba, sul suo cavallo ei va
Ay de mi alhama!...

Poi, con un rapido scatto, corse verso il punto da cui sembrava provenire la canzone. Il bosco era oscuro e gli alberi così fitti che era impossibile vedere a un passo di distanza. Super capì che stava perdendo tempo e tornò sui suoi passi.

— Avete visto qualcuno? — domandò Cardew ansiosamente. — Veramente, avete spaventato queste signore, e in quanto a me, vi dirò che non ho visto assolutamente niente.

— Forse il signor Minter ha troppa immaginazione — sogghignò Elson. — Che abbia visto un uomo, in una simile oscurità, è già poco verosimile, ma una rivoltella poi!

— Ho visto il luccichìo della canna dell'arma — disse Super osservando il bosco da una finestra. — Potrei avere una lampada?

Gli fu portata una lampada tascabile. — Era là — disse Super dirigendo il fascio luminoso sulla strada che circondava l'edificio. — Nessuna traccia; il suolo è troppo duro. Niente... — Improvvisamente si chinò e raccattò un oggetto nero, oblungo; poi, tenendolo sul palmo della mano aperta, fischiettò piano.

— Che cos'è? — domandò Cardew.

— Un caricatore di rivoltella automatica, calibro 42, pieno di cartucce — rispose Super, e spiegò: — Rivoltella della marina americana; il caricatore, collocato male, è caduto.

Cardew era impallidito. Indubbiamente era quello il suo primo contatto con le realtà poliziesche.

Elson con la bocca aperta guardava il caricatore. — E quell'uomo era qui... forse da tempo... con una rivoltella! — balbettò. — L'avevate visto, soprintendente?

Super posò la mano sulla spalla dell'americano. — Niente paura, ora — disse con bontà, quasi amichevolmente. — No; se l'avessi visto l'avrei acciuffato. Permettetemi di usare il vostro telefono, signor Cardew. Grazie.

L'investigatore chiese di essere messo in contatto con la polizia.

— Pronto; siete voi, Lattimer? Sguinzagliate i vostri uomini e arrestate tutti gli individui sospetti, in modo speciale i vagabondi. Poi raggiungetemi a Barley Stack. Prendete una rivoltella e due lampadine tascabili.

— C'è qualche cosa che non va, capo?

— Ho perduto un bottone della camicia — spiegò serenamente l'investigatore e riattaccò.

Guardò Cardew, che l'aveva accompagnato al telefono, e indicandogli alcuni scaffali pieni di libri, disse:

— Là dentro sono certo descritti un mucchio di metodi per catturare i vagabondi.

Ma Cardew, guardando lo sparato macchiato di ruggine e la cravatta del poliziotto, stava riprendendo coscienza della sua superiorità. — È proprio in questo genere di affari — disse — che si apprezzano di più le qualità della polizia professionale e che esse ci risultano veramente utili.

— Quel vagabondo cercava Elson — dichiarò Super.

Cardew aggrottò le sopracciglia.

— Cosa ve lo fa credere?

— Elson se lo aspettava, altrimenti perché porterebbe una rivoltella?

— Elson? Una rivoltella? E come lo sapete?

— L'ho sentita nella tasca della sua giacca, mentre poco fa gli testimoniavo grande affetto. Io possiedo una delle anche più sensibili di tutta la polizia inglese. Be', vado a fare un altro giretto in giardino. •

Jim ed Elfa stavano passeggiando per i vialetti, fra i sicomori. Super sorrise osservando che la ragazza aveva preso il braccio di Ferraby. Quest'ultimo, scorgendo l'investigatore, si diresse subito verso di lui, e gli parlò brevemente della lettera che gli era stata mostrata la sera prima da Cardew.

— Big-Foot? Un nome da pellerossa...

— Non dite che ve ne ho parlato, ve ne prego.

— Sta bene — acconsentì Super, pur controvoglia.

Dal balcone, Cardew li chiamava:

— A tavola, signori. Finiamo di pranzare.

Super, con gli occhi nel piatto e giocherellando con un cucchiaino, si domandava perché Cardew pareva non avere ancora stabilito un rapporto fra la lettera di cui gli aveva appena parlato Ferraby e la misteriosa visita dell'uomo con la rivoltella.

Era già passata l'una del mattino, quando, quella stessa notte, Jim bussò alla porta dell'ufficio di Cardew per salutarlo. L'uomo di legge stava sfogliando un grosso volume. — Entrate, Ferraby, e sedetevi. Dunque, che cosa pensate di Hannah? Non vi ha colpito niente nel suo atteggiamento?

— Sono stato molto sorpreso di constatare che gli avvenimenti della serata l'hanno lasciata perfettamente indifferente.

Improvvisamente agitato, Cardew guardava il procuratore a bocca aperta. — Gran Dio! Volete dire... eppure è vero... ma io non avevo pensato a una possibile relazione tra la lettera e... Bisogna proprio dire che ho perduto la testa.

Egli era pallido d'emozione.

— Mi domando come mai ciò ha potuto non colpirvi — aggiunse Ferraby stupito.

Un egual senso di stupore era stato provato da Super, che ne aveva parlato a Jim prima di lasciare quella casa, tanto che Ferraby aveva avuto un gran da fare per impedire al vecchio investigatore di informarne il loro ospite. Per quanto sapesse benissimo che Super, in ogni modo, non avrebbe tardato a discutere quel punto col proprietario di Barley Stack, egli non accennò neanche alla sorpresa del poliziotto.

— Non mi era mai neanche balenata l'idea di stabilire un qualunque rapporto fra l'uomo del giardino e Hannah — ripeté l'ex notaio. — È una cosa inconcepibile. Sono quasi pentito di non aver messo Minter al corrente di tutto.

— Telefonategli e raccontategli ogni cosa — suggerì Jim. — Bisogna che egli sappia che Hannah ha ricevuto quella lettera.

Cardew esitò. Staccò l'apparecchio, ma lo riattaccò senza parlare. — È meglio che ci dorma sopra — dichiarò. — Se glielo dico adesso tornerà immediatamente ed esigerà da Hannah una qualche spiegazione; ora io temo le scene di questo genere, soprattutto quando una delle parti è sostenuta da una governante. Che volete che vi dica? Quella donna mi fa paura, lo confesso; è assurdo, lo so, e questa mia debolezza mi fa rabbia. È meglio che rimandi tutto a domani mattina o a più tardi ancora; inviterò di nuovo a pranzo il soprintendente e Hannah sarà assente.

Mentre si spogliava, Jim pensò che in effetti sarebbe stato meglio che il colloquio fra i due uomini avesse luogo in assenza della governante.

La campana di una chiesa lontana batteva le due del mattino quand'egli spense la luce e si mise a letto. Trascorse una mezz'ora. Non riusciva a dormire; raramente si era sentito così sveglio. Il suo pensiero vagava a Barley Stack, da Elfa Leigh a Cardew, da Cardew a Hannah per tornare a Elfa invariabilmente. Infine si alzò sospirando, caricò la pipa, l'accese e se ne andò a contemplare la notte dalla finestra. La luna, nella sua ultima fase, era ridotta a una falce filiforme nel cielo relativamente chiaro. Mandava una pallida fosforescenza e gettava una strana luce in giardino. Dal suo posto di osservazione, Jim vedeva una finestra ben illuminata nell'ala opposta della casa. Era la camera della ragazza o quella di Cardew? O quella di Hannah? In ogni modo, chi occupava la camera pareva molto occupato. Attraverso le tendine quasi trasparenti, Jim vedeva una figura passare e ripassare frequentemente. Alla lunga, riconobbe Hannah. Completamente vestita, era intenta a riempire una valigia che aveva posato sul letto, a fianco del quale si vedevano altre due valigie.

Jim Ferraby aggrottò le sopracciglia. Tutti quei preparativi per un fine settimana? Per passare due giorni in campagna? Quelli erano i bagagli che si usano per un lungo viaggio. Stava osservando la governante da un'ora quando la luce si spense. Frattanto l'alba cominciava a fare impallidire le stelle e Jim si sentì infine invadere dal sonno. Stava già rientrando a letto quando percepì qualche cosa che lo fece restare immobile in quella posizione. Qualcuno cantava e la voce veniva dal bosco.

Il Re dei Mauri galoppa sul suo cavallo
... regale... Granada

Ay de mi Alhama!

Il menestrello notturno! L'uomo del giardino! In tre secondi, Jim s'infilò il soprabito e richiuse la porta della sua camera. Scese la scala al buio e dopo aver lottato qualche minuto per aprire il portone di casa, si trovò fuori, in mezzo al dolce odore del giardino e alla fresca brezza dell'aurora. Ebbe subito i piedi bagnati dalla rugiada.

Scorta un'ombra furtiva sul confine del bosco, si slanciò nella sua direzione.

— Piano! Piano! — sussurrò l'uomo voltandosi appena Jim gli fu arrivato vicino. — E soprattutto non spaventate il mio uccello cantore. Ne ho bisogno per la mia collezione antropologica.

Era Super.

6. La storia dei biglietti da cento dollari

— Andate a coprirvi meglio; ho bisogno di voi, poiché tutti i miei uomini stanno percorrendo il paese alla ricerca di vagabondi. Se quando tornerete, non mi troverete qui, aspettatemi.

Jim si affrettò a obbedire, poiché la mattinata era fredda ed egli tremava. Cinque minuti più tardi era di ritorno, ma il poliziotto era scomparso. Trascorsero ancora dieci minuti prima che riapparisse.

— Questa volta è partito davvero — brontolò. — Probabilmente vi ha sentito arrivare.

— Partito? E come mai?

— Il bosco scende fino al muro di cinta della proprietà e prosegue al di là della strada con fitti macchioni. È proprio là dentro che ho sentito muoversi il nostro uomo. Non c'è modo di mettergli le mani addosso; è più furbo di una scimmia. E voi, avete niente di nuovo?

— Hannah Shaw se ne va — rispose Jim, e gli raccontò quello che aveva veduto dalla finestra.

Super si grattò la testa. — Scommetto che Cardew non sa che lei parte davvero — disse. — Sarà una sopresa come non ne ha avute da anni. Ma, a parte questo, io vorrei proprio acciuffare il nostro giovane Caruso — aggiunse con rammarico.

Era già a mezza strada da Barley Stack quando girò su se stesso e tornò sui suoi passi. — Avete un'automobile, signor Ferraby?

— Sì, ma non qui. Sono venuto col treno.

— Bisogna che questa sera la portiate al posto di polizia e che la parcheggiate in un luogo oscuro. Ho voglia di fare un giro a Pawsey.

Jim tornò in camera e cercò di dormire, ma invano. Appena spuntò il sole, scese in giardino e camminò per i viali che circondavano la casa. Dal fondo della proprietà, scorgeva Hill Brow, la sontuosa villa di Elson.

Quale strano capriccio aveva condotto quell'americano a installarsi in una regione che per lui non poteva esercitare alcun fascino?

Tornato indietro, vide Elfa, vestita con un magnifico *tailleur* grigio, che avanzava verso di lui. Per due o tre secondi il suo cuore batté più veloce.

— Sono mattiniera oggi — disse lei. — Stanotte non sono riuscita a dormire. — Quindi gli tese la mano con un sorriso affascinante. — Mi sento piena di coraggio questa mattina. E voi, avete dormito bene?

— A dire il vero, non ho chiuso occhio in tutta la notte.

Lei scosse la testa. — La mia camera è accanto a quella di miss Shaw, la quale non ha smesso un momento di camminare e di smuovere oggetti — spiegò.

Egli avrebbe potuto dire che lo sapeva già, ma lei continuò:

— Il mio sistema nervoso sopporta male Barley Stack e miss Shaw. Prima di oggi, avevo passato una sola notte in questa casa e non ne avevo certo riportato un buon ricordo. La governante era di un umore anche peggiore del solito e non parlava né a me né a quel povero signor Cardew. Chiusa nella sua camera, rifiutava di venire a tavola, col pretesto che il signor Cardew le aveva mancato di rispetto. Dopo di che, ella fece una cosa assolutamente straordinaria. Essendomi alzata di buon'ora, andai a osservare il giardino dalla mia finestra, quando vidi sul prato una grande B fatta di pezzi di carta. Mi parve d'indovinare che cosa fossero, quei pezzi di carta, e scesi in giardino per esaminarli più da vicino. Come mi ero immaginata, si trattava di biglietti di banca fissati al suolo per mezzo di forcine. Banconote americane. Doveva trattarsi di parecchie centinaia di dollari.

Jim la guardava quasi incredulo. — E Cardew?

— Aveva visto tutto dalla finestra ed era furioso.

— C'erano stati altri spettatori?

Ella fece una smorfietta deliziosa. — Sì, Elson. Siccome stavano facendo un restauro generale alla sua casa, Cardew, dietro suggerimento di miss Shaw, gli aveva offerto ospitalità per tutta la durata dei lavori.

— Ma come fate a sapere che autrice di quel singolare scherzo era Hannah? E perché non Elson?

— Era miss Shaw. Lei raccattò i biglietti e quando Cardew la mandò a chiamare, per chiederle spiegazioni, non volle darne e non consentì neanche a dire dove si era procurata il denaro. Io la credo un po' pazza — aggiunse la giovane donna dopo un silenzio, — ed è per questo che non mi piace venire a Barley Stack.

Il viso di Hannah, quando ella scese per la prima colazione, non rivelava niente della notte che aveva passato. Viceversa Cardew sembrava piuttosto mal disposto. — Non sono ancora sicuro — dichiarò — che il soprintendente non abbia voluto giocarmi uno scherzo alla sua maniera. Personalmente non ho visto assolutamente niente e i miei occhi valgono quelli di un altro. Se ci fosse stato davvero un uomo nel boschetto, come si spiega che Super sia stato il solo a vederlo?

Jim era sul punto di parlargli della canzone che l'aveva fatto scendere in giardino così di buon'ora, ma si ricordò in tempo della raccomandazione, fattagli dall'investigatore, di mantenere in proposito il più rigoroso riserbo.

— E in quanto al caricatore, può darsi che facesse parte dello scherzo — aggiunse Cardew con un'aria sospettosa. — A che ora partirete, Hannah? — domandò rivolgendosi alla governante.

— Alle undici.

— Prendete l'automobile? Thompson mi ha detto che la cappotta aveva bisogno di essere riparata.

— Per me va bene, e dovrebbe andare bene anche per il signor Thompson — rispose lei poco cortesemente.

Cardew se ne andava in città per ritirare la corrispondenza e offrì a Jim di accompagnarlo a casa in Cheyne Walk. Disse che sarebbero partiti subito dopo la colazione e Ferraby pensò che l'ex notaio desiderasse lasciare Barley Stack prima della sua bisbetica governante.

Jim cercava Elfa per salutarla, e la trovò che stava lavorando nell'ufficio di Cardew.

— Ve ne andate, signor Ferraby? — esclamò lei con un certo rammarico che fece felice Jimmy, all'idea che la segretaria di Cardew rimpiangesse un poco la sua compagnia.

— Sì, me ne vado, ma volevo pregarvi di darmi il vostro indirizzo per potermi accertare che arriviate a Londra sana e salva.

Lei sorrise. — Che idea buffa! Ecco il mio indirizzo.

Egli si mise in tasca il biglietto da visita e cominciò: — Verrò...

Lei scosse la testa. — Troverete il mio numero di telefono sul biglietto che vi ho dato e può darsi che un giorno vi permetta di accompagnarmi a teatro. Arrivederci.

Egli strinse la mano della ragazza e la tenne fra le sue un po' più a lungo di quanto non convenisse.

La grande automobile di Cardew partì coi due uomini pochi minuti più tardi.

— Così non si va avanti — dichiarò subito Cardew a Jim. — Fino ad oggi ho tollerato Hannah e i suoi nervi perché in fondo è una buona ragazza e per riguardo alla memoria della mia povera moglie; ma oggi mi accorgo che i capricci di quella donna mi amareggiano, per non parlare di tutti i suoi misteri. Ora, io non voglio misteri in casa mia, e non posso fare a meno di pensare che ci sia qualche cosa fra Hannah e Elson. Forse tutto ciò vi sembrerà assurdo, pure io sono certo di averli visti scambiarsi qualche occhiatina e altri segni d'intesa. Insomma, ho deciso che Hannah se ne vada, che se ne vada — ripeté battendo sul piano dell'automobile con la punta del suo ombrello. — Darei volentieri mille sterline perché cercasse di sua volontà un'altra sistemazione.

— Sapete che questa notte ella ha fatto i bagagli? — domandò Jim.

— Ha fatto i bagagli? — esclamò Cardew. — Chi ve lo ha detto?

— L'ho vista dalla finestra. D'altronde, lei non faceva niente per nascondersi.

Cardew restò a lungo in silenzio. Il suo volto, di solito sereno, appariva aggrottato.

— Credo che in tutto ciò non ci sia niente di eccezionalmente anormale — disse infine. — Le è già successo altre volte, in seguito a discussioni avute con me, di fare i bagagli. E io, da quel vecchio imbecille che sono, finivo sempre per supplicarla di restare. Ma questa volta... — e l'ex notaio fece un gesto energico con la mano.

Lasciò Jim a Whitehall. Per due ore egli fu occupato a leggere una voluminosa corrispondenza ammucchiatasi negli ultimi due giorni. Poi telefonò a Elfa.

— Pronto. Sì, sì, signor Ferraby, sono di ritorno. No, quando sono partita il signor Cardew non era ancora tornato a Barley Stack. Ha telefonato per avvisare che avrebbe passato la notte a Londra.

— Volete prendere il tè con me?

Sentì che ella rideva.

— No. Stasera ho intenzione di riposarmi. D'altronde, sono già in un luogo incantevole.

— Me lo immagino — dichiarò Jim con calore. — Non importa sapere che luogo sia, purché voi ci siate...

Clic! Lei aveva riattaccato il ricevitore, la qual cosa non impedì a Jim di tornare a casa sua in uno stato di ebrezza sentimentale che confinava con l'idiozia.

Il suo cameriere gli annunciò che un visitatore lo aspettava. Era Cardew.

— So — disse quest'ultimo — che questa sera voi uscirete. Venivo a vedere se non voleste accompagnarmi all'opera. Si dà il *Faust* e ho preso due poltrone nella speranza che vogliate venire con me.

— Mi dispiace moltissimo, ma ho già un invito.

— Non potete almeno farmi compagnia a pranzo?

Jim si scusò di nuovo.

— Questa sera non ho fortuna — si lamentò Cardew passandosi una mano fra i capelli. — Non mi resta che tornare a Barley Stack. — E dopo una pausa aggiunse con tono preoccupato: — Io mi domando che cosa farà questa sera a Pawsey quel demonio di Hannah. Pagherei non so che cosa per saperlo.

7. Un viaggio verso il sud

L'automobile che conduceva Ferraby e Super in direzione di Pawsey aveva appena oltrepassato Horsham quando cominciò a cadere una pioggia diluviale, subito seguita da lampi e tuoni. I due uomini non avevano ancora scambiato una parola da Londra. Jim, come se un tuono scoppiato in quell'istante lo avesse distolto dai suoi pensieri, ruppe il silenzio per mettere al corrente il poliziotto di quanto gli aveva raccontato

Elfa. Super ascoltava attentamente e l'episodio della B maiuscola formata da biglietti da cento dollari parve interessarlo vivamente. — E c'era anche Elson — ripeté fra sé, preoccupato. — Strana coincidenza; o Hannah ama Elson, o le mie deduzioni sono sbagliate. In ogni caso credo che faremo bene a tener gli occhi spalancati questa sera se vorremo capire quello che succederà. Mi dispiace che Cardew non sia con noi. Che cosa ne pensate di quella B di biglietti di banca?

— Forse Big-Foot? — suggerì Jim.

— Sì, perché no...

La pioggia seguitava a cadere implacabile e i lampi incessanti illuminavano la via più di quanto non lo facessero i fari della vettura. — Stiamo per arrivare — osservò Super. — Se non avete nulla in contrario portate l'auto dietro il villaggio. C'è una specie di cava abbandonata.

— Conoscete il punto? — domandò Jim.

— Sì; ho studiato la carta topografica questa mattina — spiegò l'investigatore. — La casetta di Cardew è situata a centocinquanta metri dal piede di quella collina che intravedete alla luce dei lampi, e a due chilometri dal villaggio. Spegnete i fari, signor Ferraby.

Mentre la vettura rallentava, Lattimer uscì dal folto di un cespuglio e si avvicinò. — Ancora nessuno — disse, mentre Super e Jim uscivano dall'automobile.

— Come? Ma Hannah Shaw è venuta qui questa mattina — esclamò Jim.

— Mi stupirebbe se fosse venuta — disse tranquillamente Super. — Io sapevo che non sarebbe venuta questa mattina.

Jim lo guardava stupito.

— Eh sì, semplice deduzione — disse l'investigatore con un tono soddisfatto. — Deduzione e logica, e anche un po' di psicologia.

— Ma come avete saputo che non sarebbe venuta questa mattina? — insisté Jim.

— Perché Lattimer me l'ha detto per telefono un'ora fa — fu la calma risposta. — E ora, sergente, prendete la lampadina tascabile. Ne avremo bisogno.

La pioggia seguitava a cadere inesorabilmente, per quanto fossero cessati i lampi e i tuoni. Il fascio di luce di un faro lontano illuminava la strada a intervalli regolari.

Beach Cottage, il *bungalow* di Cardew, si trovava tra la strada e il mare. Era una piccola costruzione di pietra, tozza, circondata da un muro di mattoni.

— Siete sicuro che la casa sia vuota?

— Assolutamente sicuro. La porta è chiusa con un lucchetto.

— Che cos'è quel piccolo edificio là dietro? Un'autorimessa?

Jim non vedeva altri edifici che la casa, ma Super aveva occhi da gatto.

— No, signore, è una specie di capannone dove un tempo riponevano un canotto, ma il canotto è stato venduto.

Super tentò, senza riuscirvi, di aprire le porte e le finestre.

— Non verrà più — disse Jim. — Probabilmente s'è spaventata per l'uragano.

Super borbottò qualche cosa di difficilmente comprensibile, ma si capiva che attribuiva poca importanza agli uragani in certe determinate circostanze.

— Io non sarei così sicuro che non verrà — disse poi chiaramente. — Forse mi sono lasciato trascinare dalle mie teorie. Io penso troppo... troppo.

Jim constatava di non aver mai contemplato un paesaggio più desolato. Da una parte il mare; dall'altra, al di là della strada, la cupa parete di roccia.

— Quelle rocce sono piene di cavità, inaccessibili quasi per tutti — osservò Lattimer.

Lasciarono la casa e ripresero lentamente il cammino verso il punto dove era stata nascosta l'automobile.

— Capisco ora — scherzò Jim — perché non si presenti una folla di gente per prendere in affitto la residenza estiva di Cardew.

— Perché? — domandò Super. — Quando me ne andrò in pensione, mi ritirerò in una casetta come questa. Scommetto che Beach Cottage, in pieno sole, è una residenza incantevole. D'altronde, di notte, che cosa si può fare di meglio se non dormire?

Si tolse di tasca l'orologio il cui quadrante fosforescente permetteva di consultarlo. — Le undici — annunciò. — Aspetteremo fino a mezzanotte, dopo di che vi presenterò tutte le mie scuse.

— Che pensavate di trovare qui? — domandò Jim, formulando così la domanda che aveva fatto a se stesso durante tutta la sera.

— Difficile a dirsi — brontolò l'investigatore. — Quando una ragazza di quarant'anni sogna il matrimonio, e quando dice quello che farà se non arriva a maritarsi, m'interessa... È una cosa che m'interessa. Forse io mi aspettavo di...

Afferrò improvvisamente il braccio di Jim e lo trascinò verso la strada. — Dietro quella roccia, svelto! — sussurrò.

8. La cucina

Sulla strada erano apparse due deboli luci, due fanali d'automobile. Nella fretta, Jim fece un capitombolo sul ciglio della strada e si ritrovò in terra accanto a Super. Dietro di loro, Lattimer era steso ventre a terra. L'automobile si avvicinava rapidamente e quando passò loro accanto, Jim ebbe la visione fugace di una donna con un cappello a larghe falde, tutta china in avanti come per lottare contro la pioggia. Pochi secondi più tardi l'automobile entrava in Beach Cottage.

— Apre la porta — mormorò Jim all'udire il rumore della chiave che girava nella serratura.

Super non diceva niente. Si alzò soltanto quando sentì richiudere la porta della casa.

— Silenzio — raccomandò sottovoce e si diressero tutti con precauzione verso il Beach Cottage.

Agile come un felino, Super avanzò, posò la mano sul radiatore dell'auto e parve soddisfatto. Girò intorno al *bungalow*, osservando le finestre. Nessun rumore, niente luce. Tornando alla porta d'ingresso, vide il lucchetto aperto, attaccato ai suoi anelli. Si mise in ascolto ma non sentì nulla; allora tornò verso i suoi compagni.

— Deve arrivare qualcun altro — disse. — Non è venuta qui per passarvi la notte... Ha lasciato acceso il motore della sua Ford.

Tornarono alla roccia che li aveva nascosti e si rimisero in agguato. Passò un quarto d'ora, una mezz'ora; finalmente udirono la porta aprirsi e richiudersi, poi lo scatto del lucchetto.

— Se ne va?

Super era sorpreso; parlava come un uomo che è stato beffato. — Ma... — aggiunse — Presto, presto, tutti a terra! Ha acceso i fari.

Due fasci di una luce abbagliante squarciarono l'oscurità ma sparirono quasi subito. La vettura uscì dal *cottage* e risalì la strada nella direzione dalla quale era venuta. Una volta ancora, i tre uomini scorsero la testa protesa in avanti e il cappello dalle larghe falde. La Ford si allontanava nella notte ed essi non vedevano più ormai che il fanalino posteriore.

Super si rialzò brontolando.

— Vi chiedo mille scuse — dichiarò. — Le deduzioni e la psicologia fanno a volte brutti scherzi. Lei entra, esce, scompare e nessuno sa da dove viene e dove va. Con un po' di fortuna, arriveremo forse a raggiungerla, a pedinarla e a sapere dove andrà *realmente*.

Ma avevano un po' di strada da fare per riprendere la macchina di Ferraby e infine l'inevitabile si produsse. Un pneumatico era a terra e, nonostante la rapidità con la quale Jim montò la ruota di ricambio, essi non riuscirono a raggiungere la Ford e neanche a vederla da lontano. Il poliziotto di servizio all'ingresso di Pawsey non poté dar loro alcuna informazione. Aveva visto passare le due vetture all'andata, ma non ne aveva vista tornare nessuna prima di quella di Ferraby.

— Vi lascio qui, Lattimer — ordinò Super. — Spero che la polizia del villaggio possa offrirvi un letto. Bisogna che sul posto ci rimanga qualcuno dei miei.

L'uragano riprese con violenza sempre maggiore, mentre essi attraversavano Horsham e i tuoni raddoppiavano di forza quando Jim, stanco, fermò la vettura davanti all'ufficio di Super.

— Entrate, vi offrirò un caffè — gli disse il poliziotto, che non aveva aperto bocca da Pawsey in poi.

— Spero di riuscire meglio qui, che sotto quella pioggia del diavolo, a mettere un po' d'ordine nelle mie idee.

Inzaccherato dalla testa ai piedi, col viso aggrottato, si sedette. — Le cose non vanno come vorrei. Lei non è andata a Pawsey. Ho fiducia in quel poliziotto che ha lavorato con me altre volte. Forse laggiù Lattimer arriverà a scoprire qualche cosa; in tal caso gli ho ordinato di telefonarmi.

In quel momento entrò il sergente di servizio. — Telefonano da Pawsey e chiedono di voi, soprintendente. — Super balzò al telefono.

— Parla Lattimer. Ho trovato la Ford, capo.

— Dove?

— Sulla roccia, tra l'orlo di questa e la strada che scende fino alla spiaggia.

— Coi fari accesi o spenti? — domandò con ansia Super.

— Spenti. Un'altra cosa. Dietro la vettura hanno scritto due parole col gesso sulla carrozzeria: Big-Foot.

— Big-Foot, sì. C'è altro? Naturalmente nell'automobile non c'era nessuno.

— No, capo.

Super rifletteva rapidamente. — Svegliate il capo e il sergente di Pawsey. Bisogna esaminare la roccia in alto e in basso; vedere se non c'è qualche cosa o qualcuno lì intorno. Vengo subito. La casa è sorvegliata? Sta bene.

Riattaccò il ricevitore e riferì succintamente a Ferraby la conversazione che aveva avuto con Lattimer.

— Vado a vedere di che si tratta — continuò Super — ma prima bisogna che passi da Scotland Yard. Andate da Cardew, Ferraby, e chiedetegli le chiavi del *bungalow*. Portatemele più presto che potete.

Quando passava la notte a Londra, Cardew si serviva di un quartierino che aveva nei pressi di Regent's Park. Aveva il sonno leggero e Jim non ebbe troppo da aspettare. Suonava per la seconda volta quando la porta si aprì.

— Siete voi, Ferraby? — esclamò l'ex-notaio ritirando la catena di sicurezza — Entrate, entrate pure; mi direte qual è la ragione che vi conduce da me a quest'ora.

Jim, in poche parole, gli raccontò gli eventi della nottata. — Date le circostanze — proseguì — ho creduto di dover parlare al soprintendente della famosa lettera firmata Big-Foot, ricevuta da Hannah, nella speranza che non sarete severo con me.

Cardew si passò una mano fra i capelli già scompigliati dal letto e fregandosi gli occhi balbettò sconcertato: — È arrivata di notte? Tardi? Ma era uscita da Barley Stack stamattina alle undici... Dov'è?

— È proprio quello che Minter vorrebbe sapere — rispose Jim. — La Ford è stata ritrovata una mezz'ora fa, abbandonata e col nome di Big-Foot scritto col gesso sulla carrozzeria. Super crede che ci sia stato un agguato. La polizia locale sta frugando la roccia e la spiaggia per scoprire il... il corpo.

Cardew non riusciva che a scuotere la testa.

— Non ci posso credere — balbettava. — Sarebbe troppo orribile. Io ho un'altra coppia di chiavi, ma sono nel mio ufficio. Accordatemi cinque minuti per vestirmi. Avete un'automobile? Se non l'avete, farete bene a fermare un tassì.

Riapparve quasi subito, indossando un vestito da viaggio. — Naturalmente io vengo con voi — disse con calma. — Mi sarebbe impossibile tornare a letto prima di sapere dove è andata a finire Hannah.

L'automobile di Ferraby li condusse rapidamente all'ufficio di Cardew, da dove questi ridiscese con un mazzetto di chiavi. — Sono in questo mazzetto — disse — ma non ho avuto la pazienza di cercarle qui. Lo faremo laggiù.

Super fu un po' sorpreso di vedere Ferraby accompagnato da Cardew, ma non disse una parola. — Trovato niente — annunciò laconicamente. — Le chiavi, per favore, signor Cardew.

L'ex notaio le trovò subito e le staccò dal mazzetto.

— Ne avete altre ancora?

— No. Non ne ho mai avute più di due coppie. Una che consegnavo al locatario, l'altra che tenevo io in ufficio. Queste, infatti, non le ho usate mai.

Prima di partire per Pawsey, Super prese il giovanotto da parte. — Ho mandato uno dei miei uomini a sorvegliare Brow Hill. Elson è uscito ieri sera alle nove e non è ancora riapparso. È partito con la sua Rolls-Royce a due posti, senza l'autista. E ora, in cammino.

Una volta ancora, la grossa Bentley di Jim filò alla volta di Pawsey. L'uragano si era calmato da tempo e le stelle brillavano fra le nuvole. Arrivati al villaggio, si fermarono. Il sergente del commissariato di Pawsey, accompagnato questa volta da due investigatori, si avvicinò. — Non abbiamo trovato niente, capo — dichiarò a Super — ma un abitante del villaggio ha veduto una donna, estranea al paese, che si dirigeva verso la collina dalla parte del mare.

— Quando?

— Sono due ore circa. Pareva che venisse dalla stazione della ferrovia dove si ferma l'ultimo treno per Londra. Ma io non ho potuto trovare il capostazione.

— Non veniva affatto dalla stazione — ribatté Super — ma probabilmente ha cercato di dare quell'impressione. — Poi, rivolgendosi a Cardew: — Hannah Shaw prendeva qualche volta il treno per venire qua?

— Mai, dal 1918 in poi. Venivamo spesso qui durante la guerra, a causa dei bombardamenti aerei.

La Ford era stata lasciata dove Lattimer l'aveva trovata. Con la sua lampadina tascabile, Super l'esaminò minuziosamente.

L'iscrizione col gesso, che pareva non interessarlo, colpì invece molto Cardew.

— È gesso verde! — esclamò. — Gesso da biliardo.

— Forse troveremo Hannah in un'accademia di biliardo — commentò sardonicamente il poliziotto.

Da questo punto, Cardew mantenne una riserva piena di dignità, se non del tutto esente da amarezza.

Super esaminò più attentamente l'interno della vetturetta. Ispezionò a lungo centimetro per centimetro, la cappotta; dopo di che girò lentamente la luce della sua lampadina sui cuscini e sull'impiantito.

— Il cuscino è leggermente graffiato — mormorava — graffiature recenti. Tutto è pulito, in ordine... Niente fango al freno a pedale, né al pedale del disinnesto... Niente d'interessante.

Tutti tornarono alla vettura di Ferraby. — Siete tornato al *bungalow*, Lattimer? — domandò Super.

— Sì, capo. Nessuno. Vi ho messo un uomo di sentinella, dopo la vostra partenza, e c'è ancora.

— Sta bene. Andiamoci.

Pochi minuti più tardi, l'auto di Jim li depositava di nuovo davanti a Beach Cottage.

— Che strano luogo! — esclamò Cardew con un brivido. — Non avevo mai osservato quanto questa casa sia solitaria e triste.

Su consiglio di Super, la vettura fu fermata in modo che i fari illuminassero la porta dell'abitazione.

— C'è sempre il lucchetto; il che vuol dire che lei non c'è.

Super non parve affatto sorpreso. — Non ho mai pensato che ci fosse — disse — ma c'è stata, ed è venuta per qualche cosa. Conosceva qualcuno da queste parti, signor Cardew?

L'ex-notaio scosse la testa.

— Che io sappia, no; ma può darsi che vi abbia condotto qualcuno oggi — rispose.

— Certamente, no — dichiarò Super.

Super mise la chiave nel lucchetto. Il meccanismo scattò e la porta si aprì cigolando sui cardini. Super girò la lampada che illuminò un piccolo vestibolo, dall'altra parte del quale c'era un'altra porta a vetri. Apertala, l'investigatore si trovò in un piccolo corridoio che attraversava il *bungalow* in tutta la sua lunghezza. — Restate dove siete — ordinò ai suoi compagni. — Preferisco cominciare da solo.

Le prime ad essere visitate dal poliziotto furono due camere che davano a destra sul corridoio. Erano camere da letto, ammobiliate con semplicità. I letti erano senza lenzuola né coperte.

Passò nelle stanze di sinistra. La prima era una sala da pranzo il cui aspetto non presentava niente di notevole. In una parete c'era una finestrella che evidentemente comunicava con la cucina. La finestrella era chiusa da una piccola imposta.

Ormai non restava da visitare che la cucina, ma la porta era chiusa. L'investigatore tornò nel vestibolo. — Avete la chiave della cucina? — domandò.

— No — rispose Cardew stupito. — C'era, una chiave, ma restava sempre nella serratura.

Super tornò presso la cucina, tentò un'altra volta di aprirla, ma senza fortuna. A un tratto, alzò la testa, fiutò l'aria, poi chiamò Jim.

— Sentite qualche cosa? — domandò.

Jim esitò qualche secondo. — È odore di polvere — esclamò finalmente. — Hanno sparato qui... e non è molto.

— Lo dicevo anch'io — constatò tranquillamente Super. — Mi pareva di conoscere quest'odore d'acciaio riscaldato. La porta è chiusa dall'interno.

Tornò nella sala da pranzo. Anche l'imposta della finestrella era chiusa a chiave.

L'investigatore chiamò Cardew. — Effettivamente l'imposta è chiusa, ma io non so dove può essere la chiave e non c'è che quella. Rompetela.

Un vecchio cacciavite arrugginito, trovato da Lattimer in giardino, ebbe subito ragione del sottile pannello di legno. L'odore acre della polvere si fece sentire più intenso e lo stesso Cardew lo notò. — Che cos'è quest'odore? — domandò, ma nessuno gli rispose.

Super era proteso nel vano della finestrella con la sua lampada e faceva girare lentamente il fascio luminoso nella cucina. A un tratto il cerchio bianco di luce rivelò una scarpa con la punta verso il soffitto... poi un'altra scarpa... poi l'orlo di una sottana nera. Una donna era seduta là, per terra, col dorso appoggiato contro la porta e la testa china sul petto, come un'ubriaca. Super non poteva distinguerne il viso, ma sapeva che quella donna era Hannah Shaw e non aveva affatto bisogno di vedere le macchie di sangue, nere, sull'impiantito della cucina, per capire che Hannah Shaw era morta.

9. Una visita

Super si ritirò dalla finestrella senza fretta. — Restate tutti dove siete — consigliò. — Sergente, andate a cercare un medico... Signor Ferraby, volete accompagnarlo? No, restate. Potreste essere chiamato a testimoniare, più tardi.

Lattimer si offrì di accompagnare il sergente al villaggio e, dopo aver scambiato qualche parola sottovoce con Super, si allontanò rapidamente. — Non che un medico possa fare qualche cosa... — spiegò l'investigatore.

— Che cosa è successo? — domandò Cardew che tremava dalla testa ai piedi — Non si tratterà di Hannah?

— Ho paura di sì, signor Cardew.

— Ferita?... Morta?

Super chinò la testa. — Sì. Farete meglio a restare qui. Seguitemi, signor Ferraby. Salite su una seggiola.

E l'investigatore, con un'agilità insospettata in un uomo della sua età, passò attraverso la finestrella. Jim lo seguì. Super tolse il tubo di un lume a petrolio che si trovava sulla tavola, accese la miccia e posò sulla tavola il fiammifero spento. Jim Ferraby, pallido, guardava la morta.

— Suicidio? — domandò in un soffio.

— Se è un suicidio, troveremo l'arma — osservò Super. — È morta, questo è un fatto indiscutibile, e mi dispiace di non essere stato cortese con lei. In fondo, non era una cattiva donna. — Chinatosi sul cadavere, ne esaminava il volto scolorito.

— Non è un suicidio — dichiarò quasi allegramente. — D'altronde, un suicidio mi avrebbe sorpreso. È stata assassinata, ma come? La porta è chiusa dall'interno; vedete la chiave? Le imposte della finestra sono chiuse da questa sbarra di ferro.

Sulla tavola c'era una borsetta da signora, che era stata visibilmente frugata, poiché il suo contenuto giaceva in disordine un po' più lontano. — Cinquantacinque sterline e duemila dollari — constatò Super dopo aver contato. — E questo mattone, che cosa significa?

C'era un mattone rosso, levigato da una parte, sul quale sembrava appiccicato un disco di caucciù, attaccato a sua volta a una cordicella passata nel suo centro.

— L'impiantito è di mattoni rossi — osservò Jim.

— Sì; ho visto.

Super prese la lampada e si chinò, osservando il pavimento. Nel centro della parte che corrispondeva alla tavola si vedeva una cavità rettangolare. Il mattone trovato pochi istanti prima la riempiva esattamente.

— Sì... I ragazzi si servono di rotelle come questa, di caucciù o di cuoio bagnato, per sollevare le pietre dei pavimenti. Si vede che anche lei ritirava il mattone in questo modo.

Inginocchiatosi, osservò attentamente la piccola cavità.

— C'era qualche cosa qui dentro — disse — ed è proprio quello che lei era venuta a cercare.

— Ma come ha fatto a rientrare qui, dal momento che abbiamo trovato la porta chiusa col lucchetto dall'esterno?

Super scosse la testa. — Ce ne sono diverse di cose da sbrogliare — rispose vagamente. — In ogni caso non saremo venuti invano.

Si chinò di nuovo sul cadavere, con la pipa spenta fra i denti, silenzioso e preoccupato. — Impossibile toccarla prima che sia arrivato il dottore — disse rialzandosi. — Il colpo è stato sparato da vicino... l'*altro* doveva essere da questa parte della tavola... qui — indicò col dito. — Rivoltella automatica, probabilmente, per quanto non veda la cartuccia da nessuna parte. Hannah era in piedi, a destra della porta. Poi è avanzata di un passo, è scivolata, caduta... credo che il proiettile le abbia attraversato il cuore. Si era tolto solamente il guanto della mano destra; ciò vuol dire che non aveva l'intenzione di restare qui a lungo. Osservate qualche cosa, signor Ferraby, qualche cosa di interessante?

Jim fece un gesto scoraggiato. — Ci sono tante cose notevoli che non riesco più a distinguerle — disse.

Il naso di Super si arricciò in modo bizzarro. — Cardew lo avrebbe notato prima di me — assicurò. — Il cadavere non ha né il cappello né il mantello. E sotto quell'attaccapanni, là sulla parete, vedete qualche cosa per terra?

— Un po' d'acqua.

— Sì, un po' d'acqua colata dal suo mantello. Si vede che la prima volta che è venuta qui, lo ha attaccato là. Ora, dove lo ha lasciato?

— Forse in un'altra camera — suggerì Ferraby, ma l'altro sorrise in quello strano modo che gli era abituale e col quale metteva in mostra tutti i denti.

— Questi oggetti non sono in casa — affermò. — Non ho perquisito le camere ma le ho osservate attentamente e questi oggetti non ci sono.

Era esultante. Pareva che quell'affermazione esprimesse per lui un trionfo personale. — Ecco il dottore — disse. — Bisognerà che passi dalla finestrella, e se è un po' grosso, avrà poco da stare allegro.

Viceversa il medico era un uomo giovane e svelto e non fece nessuna fatica a penetrare in cucina. — Non posso dire esattamente quando è morta, ma certamente da più di un'ora. Ho già chiesto un'ambulanza. Il sergente Lattimer mi ha informato di tutto.

Super guardò l'orologio; erano le tre e mezzo del mattino. — Voglio aspettare che abbiano portato via il cadavere — disse.

Un po' più tardi, quando la misera spoglia umana fu portata via dall'ambulanza, Super aprì la finesta e le imposte. In Beach Cottage erano rimasti Jim e lui. Cardew, completamente depresso, si era ritirato e Lattimer era partito con l'ambulanza per perquisire la morta. Super posò sulla tavola una lunga busta gialla. — L'ho trovata sotto il cadavere quando l'hanno portato via — disse.

Jim esaminò la busta. — Vuota — constatò. Poi lesse l'indirizzo, battuto a macchina, e rimase meravigliato: *Dr. John W. Milles, Giudice Istruttore di West Sussex. Hailsham, Sussex.*

— Ma allora è un suicidio?

Prima di rispondere, Super si mise in tasca la busta.

— Il dottor Milles — disse poi — non è stato giudice istruttore di West Sussex, almeno da cinque anni in qua, dato che sono cinque anni che è morto. E ne sono del tutto certo, per la semplice ragione che io stesso ho assistito ai suoi funerali.

— Chi ha scritto l'indirizzo non lo sapeva.

— Certamente no. Infine, è un bell'assassinio — rispose l'investigatore con una specie di sospiro allegro. — Sapete se Hannah Shaw scriveva a macchina?

— Credo di sì. Cardew mi ha detto che ne aveva una, vecchia.

— Questa però è stata scritta da una dattilografa professionista —

disse Super guardando di nuovo la busta. — Farò rilevare le impronte digitali.

Poco dopo il poliziotto ritirò dalla parete il proiettile che aveva ucciso la governante e lo posò sulla tavola. — Questa pallottola appartiene a una rivoltella automatica, calibro 42. D'altronde si tratta di un calibro abbastanza comune; cerchiamo di non trarne deduzioni premature. Questa rivoltella non apparteneva certamente a miss Shaw; sono armi che fanno paura alle donne. Inoltre, Cardew l'avrebbe saputo.

L'investigatore s'interruppe bruscamente e si mise in ascolto. Attraverso la finestra aperta giungeva l'eterno lamento delle onde sulla sabbia. — C'è qualcuno alla porta — mormorò. Afferrò la lampada e avanzò piano per il corridoio. Anche Jim aveva sentito ed ebbe un leggero brivido. Qualcuno era là certamente, pure nessuno bussava, ma si udiva qualche cosa come un leggero grattare sul legno, come un fruscìo di mani.

Super guardò Jim e gli fece un cenno. Jim capì, avanzò con precauzione e girando rapidamente la chiave spalancò la porta. Sulla soglia c'era una donna inzuppata d'acqua, scarmigliata, che guardò fissamente il giovanotto.

— Aiuto — mormorò, e si abbandonò fra le braccia di Jim. Era Elfa Leigh!

— Silenzio! Ascoltate.

Super tese l'orecchio verso la roccia. Jim restò immobile. La giovane donna, ancora fra le sue braccia, aveva perduto i sensi.

Da qualche parte, nell'oscurità, lontanissima, giungeva l'eco malinconica di una canzone:

Il Re dei Mauri galoppa sul suo cavallo
A traverso la città regale di Granada
Ay de mi Alhama...

— Per tutti i diavoli! — ruggì l'investigatore e si lanciò nella notte.

10. Il racconto di Elfa

Quando tornò sorgeva il sole. — Niente da fare — annunciò. — Quel briccone di vagabondo doveva cantare dall'alto della roccia; ma finirò bene con l'acciuffarlo, il nostro tenore girovago!

— Ho acceso un po' di fuoco in una camera — disse Jim. — Ora si è rimessa del tutto.

— Le avete raccontato...

— No. Nello stato in cui era, ho pensato che sarebbe stato imprudente. Povera figliuola, ha passato momenti duri!

Elfa aveva inteso le voci dei due uomini e socchiuse la porta della sua camera. — Siete voi, signor Minter? Vengo subito.

Li raggiunse pochi minuti dopo, tutta imbacuccata nel voluminoso soprabito di Ferraby e coi piedi nudi nascosti in un paio di pantofole trovate sotto la toeletta.

— Dov'è la signorina Shaw? — domandò. — Le è successo qualche cosa?

— È partita — rispose Super.

Elfa osservò i due uomini, uno dopo l'altro, cercando d'indovinare l'enigma che sentiva nell'aria. — Ditemi che cosa è successo — insistette. — Come mai siete qui nel bel mezzo della notte?

— È stata la signorina Shaw che mi ha pregato di venire — fu l'inattesa risposta. Rientrata in camera per pochi istanti, la giovane donna tornò con un telegramma che porse a Super. L'investigatore si aggiustò gli occhiali e lesse. Il telegramma era indirizzato a Elfa Leigh, Cubitt Street: *Vi prego farmi un grosso favore. Appena riceverete questo telegramma, recatevi alla villetta del signor Cardew a Pawsey. Se non ci sarò, aspettatemi. Venite a qualunque ora. Non vi ho mai chiesto niente fino ad oggi, ma ora la vostra sola presenza può influire su tutta la mia vita. Vi prego di essere testimone di un fatto importantissimo. Ricorro a voi come una donna a un'altra donna.* Era firmato Hannah Shaw ed era stato spedito da Guilford, nel Surrey, il giorno prima, alle 6.

— L'ho ricevuto poco dopo le sette — disse Elfa — e non sapevo veramente che cosa fare. Il fatto che io non voglia bene alla signorina Shaw rendeva la cosa ancor più delicata. Infine decisi di andare a Pawsey e dopo cena presi l'ultimo treno, alle dieci; scesi alla stazione alta di Pawsey...

— Siete voi, allora, la donna che hanno visto venire dalla stazione — interruppe Super. — Naturale! Ciò conferma una delle basi della mia teoria. Continuate, signorina Leigh. Che cosa avete fatto tra il momento del vostro arrivo e quello in cui siete venuta qui?

— Invece di prendere la strada maestra, mi sono cacciata in una scorciatoia che, attraversando le rocce, abbrevia di molto il cammino. Ho vissuto molti mesi a Pawsey e ne conosco tutti i cantucci. Inoltre l'uragano che si era scatenato in quel momento, m'incitava a raggiungere Beach Cottage il più presto possibile. Ma ignoravo che ai primi di quest'anno s'era prodotta una frana nella roccia. A un tratto, una pietra sulla quale avevo messo il piede cedette e caddi. La caduta mi parve più lunga di quanto in realtà non fosse, a tal punto che temetti di schiacciarmi sui massi ai piedi della roccia. Viceversa, caddi semplicemente in una grande cavità. La paura e l'oscurità mi paralizzavano. Sono rimasta lì, prostrata, per parecchie ore. Ho visto arrivare due automobili e ho urlato con tutte le mie forze, ma non mi hanno sentito. Ho cercato diverse volte di uscire da quel buco, ma invano; la china era troppo forte. Poi è arrivata un'altra vettura e si è fermata davanti alla villetta. Un ultimo sforzo disperato mi ha permesso finalmente d'arrivare al sommo della china, inzuppata d'acqua e coperta di fango. Ho avuto appena la forza di traversare la strada e di arrivare alla porta del *cottage*. Non so ancora come ci sia riuscita.

Super rilesse il telegramma.

— *Vi prego di essere testimone di un fatto importantissimo* — ripeté grattandosi la testa.

— Dov'è miss Shaw? — domandò ancora la giovane donna. Lesse la risposta negli occhi dell'investigatore e indietreggiò, livida. — Non è... morta?

Egli chinò la testa. — Di morte... naturale, oppure...

— È stata assassinata, là — e tese la mano in direzione della cucina. — E adesso ascoltatemi, signorina. Sarete certamente chiamata in tribunale come testimone, poiché avete passato gran parte della notte nei pressi della villetta. Non avete visto venire altre vetture, all'infuori di quelle di cui ci avete parlato?

— No; ne sono sicura.

— Avete visto qualcuno per la strada? Avete visto tornare la signorina Shaw?

— No. La notte era troppo profonda. Ho visto solamente le automobili, per i fari accesi, altrimenti non avrei potuto vederle né sentirle.

Super era deluso. — Appena i vostri vestiti saranno asciutti, pregherò Ferraby di ricondurvi a Londra. Suppongo che non abbiate altro da dirci.

— No — rispose Elfa. — Che terribile cosa!

— Voi scrivete a macchina, non è vero? Non avete per caso scritto questo indirizzo? — e l'investigatore le mostrò la busta gialla.

— No; non è scrittura della mia macchina. So che la Shaw possedeva una vecchia macchina da scrivere; un giorno mi chiese qualche spiegazione al riguardo.

Era ormai giorno fatto e per quanto il cielo fosse ancora grigio, la pioggia era cessata. Mentre la giovane donna restava a fare asciugare i suoi vestiti, i due uomini uscirono. Super guardava attentamente la roccia.

— Lattimer ha ragione; questa roccia è crivellata di buchi — osservò. E mostrando con un gesto le innumerevoli, oscure cavità, aggiunse: — Se qualcuno si nasconde là dentro, ce ne vuole prima che si possa acciuffarlo; ma la logica e la deduzione mi dicono che sarà anche difficile per chi voglia nascondersi, arrivare a quelle piccole grotte. Si potrebbero visitare soltanto le cavità basse, cosa che la polizia cercherà di fare oggi stesso.

Mentre si voltava a osservare la strada, arrivò la vettura di Ferraby, pilotata da Lattimer.

— Ho trovato questo sul cadavere — annunciò il sergente e mostrò all'investigatore un sacchettino di pelle di camoscio, un po' più grande di un francobollo e attaccato a una catenella d'oro.

— Lo aveva al collo — precisò.

Super aprì il sacchetto e ne tolse un anello d'oro. — Somiglia a una fede — disse. — Non c'è un attestato di matrimonio?

Lattimer scosse la testa. — Nient'altro, capo. Nessun documento.

Super osservò l'anello attentamente. — Una fede e... una fede nuova — mormorò sopra pensiero. — L'ha mai portata? Si direbbe quasi di no.

Camminarono lentamente verso la spiaggia.

— È un luogo troppo solitario — ammise il poliziotto. — Ritiro subito quello che ho detto a proposito dell'opportunità di scegliere un luogo come questo quando andrò in pensione.

Proseguendo la loro marcia verso il mare, si trovarono ben presto su una sabbia più dura.

— Bel luogo per chi voglia fare i bagni di mare — mormorò Super.

A un tratto Jim osservò l'aria progressivamente stupita che assumeva il volto del vecchio investigatore.

— Bontà divina! — esclamò questi.

Egli stava contemplando, sulla sabbia, l'impronta di una scarpa, mezzo cancellata dalla pioggia, ma ancora abbastanza visibile. Era l'orma di una scarpa enorme, d'una lunghezza di circa cinquanta centimetri e larga in proporzione.

— Per tutti gli dèi! — esclamò ancora Super, letteralmente affascinato.

Le tracce si dirigevano verso Beach Cottage.

Big-Foot! Significavano qualche cosa quelle due parole?

Super guardò Jim. — Avete qualche idea su questa faccenda? Qualche deduzione?

— Confesso di no — rispose Jim.

— Peccato, perché... per tutti i diavoli, non ne ho neanch'io.

Mandò Lattimer a cercare un po' di gesso a Pawsey e passarono una buona ora a prendere l'impronta di alcune orme.

Durante tutto questo tempo, dall'apertura di una delle grotte della roccia, un uomo dalla faccia abbronzata, dalla barba incolta, disteso in tutta la sua lunghezza, li guardava lavorare. I suoi occhi brillavano di una gioia infantile. E mentre continuava a osservarli, canterellava piano piano, per se stesso, la storia di Alhama.

11. La busta sigillata

Al Grand Hotel di Pawsey, Cardew aveva avuto la fortuna che gli fosse assegnata una camera che dava sul mare. Era a letto, ma sveglio, quando Super e Jim entrarono da lui.

— Avete qualche notizia? — domandò quasi prima che Ferraby avesse richiuso la porta. — La povera Hannah è morta?

Super gli parlò della fede e gli domandò se non sapeva qualche cosa al riguardo. Cardew balzò a sedere sul letto. — Maritata? Hannah? Maritata? Impossibile! — affermò vigorosamente. — Le vostre informazioni non hanno importanza, come non ne avranno quelle che potrete ottenere. Hannah non era maritata.

— Ma come fate ad esserne tanto sicuro?

L'ex-notaio non rispose subito: stava evidentemente frugando nei suoi ricordi, cercava, rifletteva. Poi, un po' più calmo, proseguì: — Ho seguito gli affari di Hannah per molti anni. Ella non aveva alcun segreto per me. Può darsi che abbia avuto un po' d'affetto per qualcuno e anzi, in una certa occasione, mi parlò di matrimonio, ma non avrebbe potuto mai sposarsi senza il mio consenso.

Super era al colmo della sorpresa. — Come? — riuscì a esclamare.

— Ma certo! Quando mia moglie morì, lasciò una pensione annua ad Hannah, a condizione che ella non si sarebbe mai sposata senza il mio consenso. La mia povera moglie temeva ch'io non potessi reggere alla solitudine, e per questo, ripeto, il legato fu fatto con questa riserva.

— A quanto ammontava l'annualità della pensione?

— A duecento sterline, somma abbastanza considerevole per Hannah. — Poi, dopo aver riflettuto un istante: — Dimenticavo una cosa. Vi ho detto che Hannah non aveva segreti per me. Non è assolutamente esatto. Tre anni fa, infatti, mi consegnò una busta sigillata pregandomi di custodirgliela. Le domandai naturalmente che cosa contenesse la busta, ma ella rifiutò di dirmelo. Ricordate che noi accogliemmo Hannah quando fu dimessa da un orfanotrofio. Indubbiamente sulla sua nascita c'era un mistero e io ho sempre pensato che la chiave di questo mistero avesse qualche rapporto col contenuto della busta.

Super scrollò la testa. — Certamente la cosa è misteriosa — osservò. — A me ora occorre questa busta. Dov'è?

— Nel mio ufficio a King's Bench Walk — rispose Cardew — Se volete andarci oggi, troverete la busta in una piccola scatola di lacca giapponese sulla quale sono incise le iniziali H.S. La scatola racchiude altre carte, ossia, se ricordo bene, una copia del testamento di mia moglie, la mia corrispondenza col direttore dell'orfanotrofio, il certificato di nascita di Hannah e altri documenti della stessa natura, più o meno importanti.

Prese la sua giacca appoggiata su una seggiola accanto al letto e ne ritirò un mazzetto di chiavi che porse a Super. — Ecco le chiavi dell'ufficio e della scatola. Avete scoperto qualche cosa?

— Niente — rispose l'investigatore. — Il fatto che Hannah sia riuscita a uscire dalla villetta e a rientrarvi senza che Lattimer, il quale montava la guardia, se ne sia accorto, oltrepassa le possibilità della mia mente.

— Lattimer è stato sempre là?

— Sempre — affermò Super.

Cardew si grattava la testa.

— Noi vi lasciamo — annunciò l'investigatore. — Passeremo a prendere la busta stamattina.

Un'ora dopo, l'auto di Ferraby depositava i due uomini a King's Bench Walk, davanti all'ufficio dell'ex-notaio. — Vado a prendere la busta. Volete accompagnarmi?

Jim, che conosceva la casa, gli fece strada. L'investigatore stava introducendo la chiave nella serratura della spessa porta di quercia ma si accorse che essa cedeva alla pressione della mano e l'aprì.

Entrarono. Si trovarono nel corridoio in fondo al quale era l'ufficio di Elfa Leigh, come Ferraby sapeva bene. La porta era chiusa, mentre quella dell'ufficio di Cardew era spalancata.

Super si fermò sulla soglia, esaminando silenziosamente la stanza. Poi: — Temo di essere arrivato un po' tardi — mormorò.

Una piccola scatola giapponese giaceva sull'impiantito, bene in vista, aperta e vuota. Carte in disordine uscivano dai cassetti aperti della scrivania di Cardew.

— Non c'è che dire. Qualcuno è venuto a passeggiare qui prima di noi — disse ancora l'investigatore.

12. Lo zio di Lattimer

Girarono lentamente lo sguardo intorno alla stanza. I loro occhi si posarono sul caminetto. Era pieno di carte bruciate che erano state precedentemente lacerate in modo che non restasse alcuna traccia della scrittura. La busta sigillata non si trovava. Delle altre carte nessuna riguardava Hannah Shaw. Super raccattò la scatoletta nera contrassegnata dalle iniziali H.S. e la posò sulla tavola. Poi, avvicinato il tutto a una finestra, osservò: — La scatola è stata aperta con una chiave.

Inginocchiato davanti alla stufa, frugò a lungo e delicatamente fra la cenere. Dopo di che esaminò le finestre. Mentre tirava giù lentamente una tendina, un foglio di carta che era rimasto impigliato in una delle sue pieghe volò un istante per la stanza e si posò sul pavimento. Super si chinò e lo raccattò. Era la fattura di un fornitore, quietanzata.

— Ecco — disse fra sé — un giorno di vento questa fattura è volata via ed è rimasta fra le pieghe della tenda che in quel momento veniva tirata su. E questa è una deduzione — scherzò. — Scommetto che a Cardew dispiacerà, questo scasso nel suo ufficio, quanto la morte della sua governante. Perdere un documento, per un uomo di legge, è una disgrazia. E ora andiamo a mettere il commissario al corrente di queste effrazioni.

Dopo aver accompagnato l'investigatore al commissariato e aver fatto la sua testimonianza, Jim, felice di aver finito, tornò a casa sua. Non era proprio il caso di spogliarsi. Trenta ore consecutive di veglia, di stanchezza e di emozioni diverse l'avevano spossato. Si buttò sul letto e s'addormentò immediatamente.

Il sole era già tramontato quando si svegliò. Pensò subito a Elfa Leigh. Dopo aver fatto una rapida toeletta prese un tassì e si fece condurre a Cubitt Street. Elfa usciva di casa sua. — Avete visto Minter? — gli domandò subito. — Mi ha lasciato proprio in questo momento.

— Vi ha lasciato in questo momento? Ma non dorme mai quell'uomo? — esclamò Ferraby. — Vi ha raccontato quanto è avvenuto nel vostro ufficio?

— È venuto proprio per questo.

Uscirono insieme e camminarono l'uno accanto all'altro. — Apparentemente — disse lei — i ladri non sono entrati nella mia stanza, poiché la porta era chiusa. Minter vi ha parlato di Big-Foot?

Jim si domandava perché Super avesse parlato della sua scoperta alla ragazza, quando non ne aveva fatto parola con Cardew.

— Voleva sapere — continuò lei — se avessi mai sentito pronunciare quel nome. — Rispondeva così, senza saperlo, alla domanda che Jim aveva rivolto a se stesso — Io non lo conoscevo affatto. Mai sentito nominare. Tutto ciò è terribile e misterioso. Io non posso ancora credere che la signorina Shaw sia morta.

Elfa si dirigeva verso Holborn e Jim si domandava dove si sarebbe recata a quell'ora avanzata. Elfa si fermò sull'angolo di Kingsway. — E adesso cercherò di chiarire un piccolo mistero che riguarda me — disse con un lieve sorriso — Si tratta di così poca cosa che non oso chiedere il vostro aiuto.

— Meno il mistero è profondo e più io vi sarò utile — si affrettò a rispondere Jim — Vi chiedo soltanto, ovunque vogliate andare, di prendere un tassì con me e ciò per egoismo: in autobus non si può fumare.

— Potete fumare sull'imperiale — replicò lei mentre Ferraby fermava un'auto. Pure non protestò e dette all'autista un indirizzo in Edwards Square. — Vado a trovare il mio inquilino — spiegò. — Ciò suona bene, no? Quando mio padre morì, mi lasciò la casetta nella quale abbiamo vissuto. Io l'ho affittata, ma ora succede che il mio inquilino diventa di giorno in giorno più nervoso, e ciò a causa delle uova.

— Delle uova? — domandò Jim che non capiva.

— Sì, a causa delle uova, delle patate e dei cavoli. Ma le uova costituiscono il mistero più grave, perché sono più frequenti. Il signor Lattimer pretende che si tratti...

— Lattimer? Un parente del sergente?

— Suo zio. Ma non credo che zio e nipote siano in buoni rapporti. Il sergente dice che non si reca mai a Edwards Square, perché lo zio non gli perdona di essere entrato a far parte della polizia. E rise dolcemente.

— Raccontatemi, vi prego, la storia delle uova.

— E delle patate! È una cosa così assurda! Da principio ho creduto che si trattasse di uno scherzo. Le derrate in questione sono apparse dal giorno in cui il signor Bolderwood Lattimer venne ad abitare al 178 di Edwards Square. Generalmente le trova sulla soglia della porta di casa, la mattina di buon'ora. D'estate, poi, questi regali sono sempre accompagnati da fiori. La governante del signor Lattimer venerdì scorso trovò un enorme mazzo di lillà; tutta la parte superiore di un arbusto; e accompagnato da un mazzo di asparagi. Ora, tutto ciò dura da troppo tempo per essere uno scherzo e il mio inquilino è su tutte le furie. Sono contenta che mi abbiate accompagnato; forse a voi riuscirà trovare la chiave dell'enigma.

Bolderwood Lattimer aveva visto arrivare il tassì attraversò il giardinetto prospicente la casa e aprì la porta. Era un ometto calvo e grassoccio. — Entrate, signorina Leigh — disse, inchinandosi. — I miei ossequi, signore. Avete ricevuto il mio biglietto, signorina? Mi duole infinitamente di annoiarvi con questa storia, ma vi garantisco che sta diventando assolutamente intollerabile.

— A che ora, generalmente, sono depositati codesti... regali? — domandò Jim mentre lo zio di Lattimer li faceva passare in salotto.

— Fra mezzanotte e le tre del mattino. Ho spiato moltissime volte, nella speranza di acciuffare il misterioso donatore e di chiedergli spiegazioni del suo strano contegno, in mancanza delle quali, come capirete, lo avrei consegnato al primo poliziotto che avessi avuto a portata di mano. Ma fino a ora, tutte le mie veglie sono state infruttuose.

— Ciò non mi sembra estremamente grave, signor Lattimer — disse Jim sorridendo. — In fondo, voi potete approfittare di questa strana generosità.

— Ma supponete che queste uova, questi legumi siano avvelenati. Ne ho mandati parecchi all'ufficio d'igiene municipale, e per quanto ancora non abbiano scoperto niente, chi mi dice che questi regali non siano stati intenzionalmente innocui fino a oggi, perché una volta che io non diffidi più...

— Non mi sembra una cosa probabile. Avete informato del fatto la polizia? Ho sentito dire che il sergente Lattimer è vostro nipote, è vero?

Il locatario parve imbarazzato. — Sì, è vero, ma fra noi non corre buon sangue. Mio nipote, quando era poco più di un ragazzo, rifiutò un posto che gli offrii nella mia casa di commercio. Ciò non gli portò fortuna, perché più tardi fu costretto ad arruolarsi nella polizia.

Il brav'uomo aveva pronunciato queste ultime parole con un tono d'indicibile disprezzo.

— Ma è una professione rispettabile — osservò Jim.

— Può darsi, signore, ma io sono di parere contrario. Mi si raccontano cose strane, delle quali non so che cosa pensare. In ogni modo, non vorrete farmi credere che un sergente di polizia come mio nipote riceva uno stipendio che gli possa permettere di pranzare al Ritz Carlton, in compagnia di tre signori, uno dei quali milionario, e per giunta di pagare il conto per tutti.

Jim era rimasto di stucco. Lattimer, il sergente Lattimer, così modesto, calmo, coscienzioso, era mai possibile? Pure, suo zio non poteva essersi ingannato e sul momento Ferraby non seppe che rispondere.

Salutarono Bolderwood Lattimer, dopo avergli promesso che avrebbero fatto il possibile per chiarire il mistero che lo turbava tanto. Mentre tornavano a Bloomsbury, il silenzio preoccupato di Jim colpì Elfa.

— Signor Ferraby, credete realmente che questa storia delle uova e dei legumi sia senza importanza? Pensate che non nasconda niente di sinistro?

— Oh, scusatemi, non ci pensavo più. Mi preoccupa, invece, e molto, quello che ci ha raccontato del sergente Lattimer — rispose Jim.

— Perché a quel pover'uomo non deve essere permesso di pranzare al Ritz Carlton?

— Per la buona ragione che un pover'uomo non può pranzare al Ritz Carlton — replicò lentamente Jim. — Scotland Yard diffida dei poliziotti che hanno denaro da gettare dalla finestra.

13. Super indaga

Super aveva il dono, proprio di tutti i grandi uomini, di poter dormire non importa dove né quando; per cui, dopo aver dormito due ore nel suo ufficio, si sentì perfettamente a posto. La campana suonava il vespro, quando chiamò Lattimer. Questi, con le palpebre un po' gonfie e indiscutibilmente stanco, rispose con un sordo grugnito.

Lattimer era un giovane alto, muscoloso. Le ragazze lo dicevano "distinto" per via delle tempie prematuramente grigie e del naso approssimativamente napoleonico.

Super lo fissò con uno sguardo acuto. — Mi ha telefonato Ferraby — disse. — Sembra che ci sia qualcuno che si diverte a bombardare vostro zio con uova e mazzi di lillà.

— Scommetterei che è la prima volta che gli offrono dei fiori. In quanto alle uova, spero che ne abbia ricevuto qualcuna anche sulla faccia. È un vecchio bigotto, pretenzioso come un duca e dotato di sentimenti umani quanti ne può avere un fornello da cucina — osservò sarcasticamente Lattimer. Super non disse niente del pranzo al Ritz Carlton.

— Sembra che sia un brav'uomo — disse Super; poi improvvisamente, alla sua maniera: — Elson è tornato a Hill Brow alle 5,53, con l'auto ricoperta di fango, un faro e i due parafanghi anteriori ammaccati.

Seguì una lunga pausa.

— Credo che andrò a trovarlo — continuò guardando dalla finestra. — In quanto all'agente intelligente e attivo che incaricai di sorvegliare la casa, se avesse avuto tanto spirito d'iniziativa quanto può averne un moscerino avrebbe arrestato l'americano per eccesso di velocità, ubriachezza o qualche cosa di simile e lo avrebbe portato qui. Niente di meglio per interrogare un individuo con tutta comodità e per perquisire tranquillamente la sua casa. Ma questi sono vecchi metodi e voi altri giovani li sdegnate.

Sospirò e si alzò. — Io faccio un salto fin là. Voi restate qui, nel caso arrivi un messaggio da Pawsey. Sono incaricato ufficialmente dell'affare, secondo quanto mi hanno comunicato da Scotland Yard due ore fa. Approfittate dell'occasione per far capire cortesemente all'ispettore capo di Pawsey che ormai con questa faccenda egli non ha più nulla a che vedere. Ha la testa passabilmente dura, ma spero che capirà ugualmente.

Super inforcò la sua vecchia motocicletta e prese la strada di Hill Brow. I terribili scoppi del motore spaventarono una volta di più i bambini, interruppero gli operai nel loro lavoro, fecero tremare i malati nei loro letti. Arrivato davanti al domicilio di Elson, un cameriere gli aprì la porta. — Il signor Elson vi aspetta — annunciò. — Permettetemi di mostrarvi la strada.

Super, stupito, salì il largo scalone di quercia e percorse un lungo corridoio tappezzato di rosso fino al salotto, che si trovava all'estremità.

Elson era disteso su un divano. L'investigatore osservò subito la sua barba di due giorni, le sue scarpe inzaccherate di fango secco. L'espressione turbata del suo viso non era affatto abbellita da una fasciatura che lo copriva da una tempia alla mascella. Quando Super entrò, l'americano teneva in mano un bicchiere pieno di un liquido ambrato; su un tavolinetto, a portata di mano, c'era una bottiglia di whisky, stappata.

— Entrate, Minter — fece con una voce che tremava. — Desideravo vedervi. Che cos'è questo assassinio di Hannah Shaw? L'ho visto nei giornali di domenica...

— Se si trovava in un giornale di domenica — rispose Super calmo — mi piacerebbe conoscere l'autore dell'articolo, dato che abbiamo scoperto il cadavere appena questa mattina all'alba.

— Eppure l'ho visto da qualche parte... o ne ho sentito parlare... — balbettò Elson. — Accomodatevi, vi prego. Gradite un bicchiere?

— Astemio fin dalla nascita — ringraziò Super sedendosi lentamente. — Dunque, dato che non è possibile che ne abbiano dato notizia i giornali di domenica, dovete averne sentito parlare.

— Eppure era in una delle ultime edizioni di domenica. L'ho letto a Londra — affermò Elson stizzoso — Perché volete contraddirmi? Credete che io sappia qualche cosa di quest'affare?

Super scosse la testa. — Voi siete l'ultima persona che crederei al corrente di qualche cosa che riguardi il delitto — protestò. — Voi conoscevate appena la vittima, non è vero?

Elson titubò. — L'ho vista in casa di Cardew...

— Forse è venuta anche a trovarvi, una volta o due — insistette l'investigatore col tono di chi vuole essere scusato. — Una padrona di casa, se ha bisogno di qualche cosa, specialmente se è in campagna, si rivolge naturalmente ai vicini. Scommetterei che è venuta qui una volta o due.

— Sì... può darsi... una volta o due — ammise Elson. — E come è successo?

— Dunque, è venuta qui una volta o due — insisté Super. — Mi sembra anche di averla vista un giorno uscire giù, dal portone di strada. Veniva probabilmente da casa vostra? Questo ricordo a poco a poco si sta delineando nella mia mente.

Elson scrutò sospettoso il volto del poliziotto. — Era venuta a chiedermi... cioè, a farmi una domanda a proposito di un certo affare. È la sola volta che l'ho vista qui, e se i miei domestici vi dicono che è venuta più spesso, sono bugiardi spudorati.

— Non ho affatto parlato ai vostri servi — disse Super. — Non parlo mai degli affari di un gentiluomo coi suoi domestici. Dunque, lei veniva a parlarvi di affari... E di che genere, presso a poco?

— Affari privati — rispose seccamente Elson e tracannò di un fiato quello che restava di whisky nel bicchiere. — Dove è stata uccisa?

— A Pawsey. Vi era andata a passare la fine settimana e... è stata assassinata.

— Ma come? Con che mezzo?

— Mi sembra che si siano serviti di un'arma da fuoco.

Con lo sguardo in alto, l'investigatore guardava il soffitto come se cercasse di ricordare certi particolari.

— Sì, sì, è stata uccisa da una pallottola.

— A Beach Cottage? — domandò vivamente l'altro.

— In una villetta, una specie di *bungalow*; una casetta di campagna appartenente al signor Cardew. La conoscete?

Elson si passò la lingua sulle labbra secche. — Sì, la conosco — riconobbe; poi, con sorpresa del poliziotto, balzò in piedi e brandendo il pugno in direzione della finestra, urlò: — Inferno e dannazione! Se avessi saputo...

Si fermò a un tratto, come se si fosse accorto allora della presenza di Super.

— Sì, scommetto che se ne foste stato al corrente, le cose sarebbero successe diversamente. Ma che cosa avreste dovuto sapere?

— Niente — replicò bruscamente Elson — Guardatemi le mani.

Le grosse mani che egli distese verso Super tremavano come foglie. — Mi sembra di diventare pazzo, capite? Uccisa! Abbattuta come un cane rabbioso!

Camminava febbrilmente in lungo e in largo per la stanza. Apriva e richiudeva le mani convulsamente. — Se l'avessi saputo! — ripeté quasi con ferocia.

— Dove eravate la notte scorsa? — domandò dolcemente Super.

— Io? — l'americano fissò l'investigatore. — Non lo so. Credo di essere stato ubriaco. Qualche volta mi succede. Devo aver dormito in qualche parte... forse a Oxford. C'erano molti studenti col berretto... Sì, dovevo essere a Oxford.

— E perché siete andato a Oxford?

— Non lo so... così... per andare in qualche luogo. Dio! Come detesto questo paese! Darei le mani, tutte e due le mani e i tre quarti della mia fortuna per tornare a San Paolo.

— E perché non ci tornate? — domandò tranquillamente il poliziotto.

— Perché non voglio — tagliò corto l'americano.

Super si grattava il mento. — A quale albergo siete sceso a Oxford?

Elson si drizzò davanti a lui, coi pugni sui fianchi.
— Che cosa pensate? — domandò con una voce rauca. — Ma ditelo, dunque. Credete che io sappia qualche cosa dell'assassinio? Vi dico che ero a Oxford, a meno che non sia stato a Cambridge. Persi la strada e arrivai vicino a un campo di corse, credo...
— Il campo di corse di Newmarket — precisò Super. — Eravate dunque a Cambridge?
— Chiamatelo Cambridge se vi fa piacere.
— Siete sceso a un albergo di prima categoria e avete dato il vostro nome, non è vero?
— Può darsi; non me lo ricordo bene. Ma come è stata uccisa? Ditemi questo. Chi l'ha trovata? Chi ha trovato il cadavere?
— Io, Cardew e il sergente Lattimer — rispose Super e vide Elson barcollare.
— Era già morta quando voi...
Super accennò di sì con la testa. Elson ricominciò a camminare in lungo e in largo, ma dopo qualche minuto parve calmarsi.
— Io non ne so niente — disse. — Hannah Shaw un giorno venne a chiedermi un consiglio. La consigliai meglio che potei. Un uomo voleva sposarla o, per essere più esatti, era lei che voleva maritarsi. Non so neanche chi era quell'uomo, ma credo che lo avesse incontrato durante una delle sue passeggiate in automobile.
— Davvero? Durante una delle sue passeggiate? Strano! Pensate che, riflettendoci sopra, ero anch'io arrivato proprio a questa conclusione.
— Allora voi ne siete al corrente? — domandò vivamente l'altro.
— Un pochino.
L'investigatore si alzò. — Be', io vi lascio. Avete un bel giardino; quasi bello come quello del signor Cardew.
Felice d'aver finito quella sgradevole conversazione, Elson se ne andò verso la finestra. — Sì, io amo molto il mio giardino; ma c'è gente che mi ruba i fiori. L'altra notte, per esempio, qualcuno mi ha rubato tutta la parte superiore di quel lillà.
Elson indicava col dito l'arbusto. Super non guardò. Egli stava riflettendo intensamente. — Tutta la parte superiore del lillà? — mormorò. — Strana idea...
L'investigatore uscì, Elson rientrò, si spogliò, fece un bagno e si rase la barba. Quindi, consumò un pasto leggero, lui che di solito mangiava per quattro, e passò l'ultima ora di luce del giorno a vagare in giardino, con le mani in tasca e il mento sul petto. Suonavano le nove e mezzo quando, attraversato un grande rosaio, egli si fermò davanti a una porticina praticata nel muro che circondava la proprietà.
Aprì la porta senza far rumore, lasciando entrare il sergente Lattimer. Questi, quando la porta fu richiusa, domandò rudemente: — Perché avete parlato a Super di quel lillà?

— Silenzio! — brontolò Elson. — Andiamo a bere un bicchiere. Passiamo di qui. I domestici non ci vedranno.

14. Teorie e deduzioni

Il colonnello Langley, direttore della polizia giudiziaria, entrò nell'ufficio di Jim.

Super non chiamava mai il colonnello con altro nome che non fosse il "direttore dal naso lungo", facendo seguire quel soprannome da commenti più o meno violenti, secondo il caso. Il colonnello invece non parlava mai del celebre investigatore altro che con rispetto e ammirazione; poiché l'odio che perseguitava Super in quasi tutti gli uffici dello stato maggiore (era la sua espressione abituale) era soprattutto immaginario.

— Che fortuna ha quel diavolo di Super! — esclamò Langley. — Piomba sulle inchieste interessanti come una mosca sul latte. E io che lo credevo un uomo finito dopo che aveva chiesto di essere mandato alla divisione "I".

— Super mi ha sempre detto di essere stato esiliato — osservò Jim.

— Super è un bugiardo — rispose Langley. — Nessuno desidera né oserebbe esiliarlo; ma con tutto ciò fummo molto contenti il giorno che ci lasciò. Vivere con lui equivale a vivere su una polveriera. Fu lui che chiese di andarsene conducendo Lattimer con sé.

Ferraby non aveva niente da dire su Lattimer al direttore della polizia giudiziaria. Aveva parlato di lui a Super e ciò bastava. Ma non poté resistere al desiderio che aveva di sapere qualche cosa sui precedenti del sergente.

— So ben poco di lui — rispose il colonnello. — Ha studiato, ha un certo grado di cultura e proviene da una famiglia rispettabilissima.

Ma la personalità di Lattimer non interessava gran che a Langley, il quale abbordò direttamente il motivo del suo colloquio con Ferraby. — Super mi ha detto che eravate a Pawsey poco dopo che l'assassinio era stato commesso. Abbiamo avuto una conferenza, ieri sera a Scotland Yard, e debbo riconoscere che siamo oltremodo imbarazzati. Anche l'orma di quel piede gigantesco ci preoccupa abbastanza, dato che i suoi passi vanno unicamente nella direzione della villetta. Super l'ha fotografata. E adesso, se me lo permettete, elencherò i fatti. Se mi sbaglio, m'interromperete. Quando voi arrivaste, sabato prima di mezzanotte, Beach Cottage era chiuso. Lattimer, messo là di sentinella da parecchie ore, aveva accuratamente esaminato la casa e confermato che la porta era doppiamente chiusa, ossia a chiave e col lucchetto. La porta di dietro era chiusa dall'interno; le finestre chiuse e le imposte sbarrate. Non si poteva dunque entrare né dalle porte né dalle finestre. Il caminetto è troppo stretto per permettere il passaggio a un essere umano, anche se fosse un bambino. Hannah Shaw arriva poco prima di mezzanotte, nella sua vecchia Ford. Apre il lucchetto, la serratura, ed entra, chiudendo la porta dietro di sé. Un quarto d'ora più tardi circa, la Shaw esce, richiude e riparte. Ora, ascoltatemi bene, Ferraby. Se la Shaw fosse già andata al *bungalow* durante la giornata, ma accompagnata, avrebbe potuto lasciare il suo compagno nella casetta; ma l'inchiesta dimostra che quando Lattimer vi arrivò, la casa era vuota. Una pattuglia di poliziotti visita tutte le sere i possedimenti isolati del paese. Il capo della pattuglia, su tutte le porte delle case disabitate, appone alcuni sigilli neri, minuscoli, invisibili per chi non ne è al corrente, chiamati "testimoni". Se il capo della pattuglia constata una sera che i sigilli sono rotti, si accorge immediatamente che il locale è stato visitato. Sabato sera, quando Lattimer arrivò, i "testimoni" erano intatti.

— Tutto ciò distrugge la mia teoria — osservò Ferraby — secondo la quale l'assassino era già nascosto nel *bungalow*.

— Esattamente — approvò Langlay. — Ma lasciatemi continuare. La signorina Shaw esce dalla villetta, riprende la sua vettura e scompare. Più tardi, la Ford è ritrovata sulla cima della roccia; il mantello e il cappello della vittima sono scoperti da un poliziotto appesi a un arbusto.

— Quando questo? — domandò Jim sorpreso.

— Questa mattina; l'ho saputo pochi minuti prima di lasciare Scotland Yard. La nostra attuale deduzione è la seguente: la Shaw doveva incontrare un uomo a Beach Cottage, ma lei si accorge di essere osservata, sia che abbia visto la vostra macchina celata nella cava, sia che abbia semplicemente visto uno di voi. Per ingannarvi e allontanarsi da voi, intendo dire voi, Super e Lattimer, va con la sua Ford sull'alto della roccia e ne ridiscende a piedi. È probabile che abbia incontrato l'uomo nel punto dove lasciò l'automobile e che egli l'abbia accompagnata fino a quel momento.

— E perché avrebbe abbandonato il mantello e il cappello? — domandò Jim.

— Forse perché sono due oggetti chiari di colore, mentre col suo solo vestito nero ella poteva passare inosservata.

Jim scosse la testa. — Sembra che dimentichiate, colonnello, che durante tutto quel tempo la casa era sorvegliata da Lattimer.

— Lo so. Ma Lattimer fu lasciato da voi a Pawsey, che si trova a una certa distanza dalla spiaggia, e arrivò al *bungalow* soltanto una mezz'ora più tardi. Lo dichiara lui stesso. La Shaw aveva dunque tutto il tempo di tornare al *bungalow* col suo compagno. È una spiegazione semplicissima, ma le spiegazioni più complicate non sono sempre le migliori. Ho esposto la mia teoria a Super, per telefono e, per quanto lo abbia fatto con tutta la cortesia possibile, sentivo che era sul punto di esplodere. Ha detto che Hannah non avrebbe avuto il tempo di fare il percorso dall'alto della roccia alla villetta prima del ritorno di Lattimer. Lui trova questa supposizione semplicemente ridicola. Chi è l'assassino? Chi è Big-

Foot, che minacciò quella povera donna? Arriviamo ora a un avvenimento del quale credo che siate stato testimone. Voglio alludere al pranzo che Cardew dette la notte precedente. Super dice di aver visto un vagabondo in piedi nell'ombra degli arbusti, vicino alla finestra, armato di una rivoltella, e che lo sentì cantare la traduzione fatta da Byron di una celebre canzone spagnuola: *Ay de mi Alhama*. In quanto alla descrizione di quell'uomo fatta da Super, essa coincide esattamente con quella di un vagabondo scorto nei dintorni delle rocce. Inoltre, Super, dopo l'assassinio, sentì cantare la stessa aria vicinissimo a Beach Cottage. Bisogna a tutti i costi catturare di quel vagabondo. Siete d'accordo?

— E Super? — domandò prudentemente Ferraby, che, da parte sua, approvava pienamente la teoria di Langley.

— Super? No. Come volete che Super sia dello stesso parere del quartier generale? Apparentemente, egli sta seguendo un'altra traccia. Ci ha telefonato la notte scorsa per chiederci che sia fatta un'inchiesta a Cambridge. Si trattava di sapere se un certo Elson aveva passato là la notte del delitto. In questo, c'è tutto Super. Secondo lui, quell'Elson aveva avuto relazioni con la vittima, ma non mi ha confidato ciò che lo aveva indotto a credere che un milionario americano si fosse divertito ad assassinare un'inoffensiva governante. Deve anche avere mandato Lattimer a fare un'inchiesta, poiché uno dei miei ispettori lo ha visto questa mattina dirigersi verso Cambridge.

Più tardi, nel pomeriggio, Jim Ferraby fu avvisato che il sergente Lattimer chiedeva di vederlo. — Fatelo entrare — disse, prima sorpreso, ma poi convinto che Super gli mandasse un messaggio.

Il sergente entrò. — Ho pensato, signor Ferraby, che vi avrebbe interessato sapere che l'alibi di Elson è stato riconosciuto giusto e veritiero.

— Non sapevo neanche che Elson fosse sospettato — rispose Jim sorridendo.

— In un certo modo lo era — rispose Lattimer. — Quando Super ha un'idea per la testa non l'abbandona facilmente. Non si sapeva come elson avesse passato il tempo fra il pomeriggio del sabato e la domenica sera. Sembra che si sia ubriacato e che abbia passato la notte a Cambridge. Il suo nome non figura su nessun registro d'albergo, ma ho trovato un garagista che si ricorda dell'auto. Elson, probabilmente, ha dormito in qualche casa privata.

— Mi pare che questo alibi non sia fra i migliori; che cosa ne dite, sergente? — domandò Jim con ironia.

Lattimer restò impassibile. — Dico che soddisferà il soprintendente — rispose freddamente; ma poi accorgendosi di parlare in tono inutilmente aggressivo, continuò: — Non ho toccato un letto da venerdì sera... Il capo pare che non abbia affatto bisogno di dormire. È in piedi da questa mattina prima dell'alba.

— Avete fatto qualche nuova scoperta a Pawsey? — Lattimer scosse la testa. — Credo che non ci sia più niente da scoprire — disse. — Avete saputo che abbiamo ritrovato il mantello e il cappello? Erano appesi a un arbusto, in uno dei punti più scoscesi della roccia. Fu un colpo per Super che pensava di trovarli altrove.

— E dove? — domandò Jim.

— Non lo so esattamente. Forse non lo saprà neanche lui.

— Lattimer, quanto tempo impiegaste a tornare alla villetta, dopo che vi lasciammo a Pawsey?

— La notte dell'assassinio? Circa un quarto d'ora. Super assicura che Hannah Shaw non avrebbe avuto il tempo di tornare a Beach Cottage durante quell'intervallo. A me, invece, sembra che di tempo gliene sarebbe avanzato. Ma è superfluo proporre certe teorie a Super o esporgli delle ipotesi: è un realista! Quando ebbi la malaugurata idea di fargli osservare che sul punto dove ora c'è il *bungalow* forse prima c'era stato un rifugio di contrabbandieri e che sotto l'edificio poteva esistere, se non proprio un sotterraneo, almeno una cantina, ho creduto che dovesse scoppiare dalla collera. È inutile, non vuol sentire parlare di teorie, e naturalmente ha ragione.

— Perché dite naturalmente?

Lattimer fissò Ferraby in un modo strano; c'era nel suo sguardo un barlume d'ironia. — Perché Super sa — articolò seccamente il sergente. — Nessuno meglio di Super sa come l'assassinio sia stato commesso e perché. — E Jim non si era ancora riavuto dal suo sbalordimento, che Lattimer era scomparso.

15. La casa di Elfa Leigh

Quando aveva lasciato per sempre la casetta di Edwards Square, Elfa Leigh aveva portato con sé tutti i suoi ricordi più intimi, tutto ciò che le ricordava suo padre. Erano stati buoni, veri amici, quella fanciulla senza madre e quell'uomo sognatore e dolce. Quando Elfa ricevette una mattina dall'Ammiragliato britannico una breve lettera nella quale si leggeva che il vapore americano *Lenglan* era stato silurato a sud dell'Irlanda e si era inabissato con tutto l'equipaggio, rimase annichilita e incredula. Non poteva concepire la morte.

John Kenneth Leigh tornava da Washington dove era stato richiamato dai suoi superiori qualche mese prima. Egli era ufficiale di collegamento, fin dal principio della guerra, fra la tesoreria inglese e quella americana, e aveva largamente collaborato alla stesura dei contratti finanziari sottoscritti fra le due nazioni. Quando gli Stati Uniti entrarono in guerra, egli aveva continuato ad esercitare le sue mansioni, divenute ora più pericolose che mai. Da allora sua figlia l'aveva visto raramente. La vita di John Leigh trascorreva quasi unicamente sul mare. Già diverse volte aveva sfiorato la morte, quando sopravvenne il disastro. Lei intraprese la sua nuova esistenza con un coraggio magnifico. Lasciò la casa paterna e prese in affitto un piccolo appartamento di tre stanze al sesto piano del numero 75 di Cubitt Street. Aveva qualche lontano parente negli Stati Uniti, ma aveva preferito restare a Londra, tutta piena di ricordi di suo padre. Le pareti del suo bel salottino erano letteralmente coperte di quadri di buon gusto e di acquerelli che a suo padre piaceva collezionare. La vecchia poltrona che egli aveva amato era collocata al posto d'onore, vicino alla finestra; la sua collezione di pipe era appesa al muro, sotto la sua spada (egli aveva prestato servizio nella cavalleria americana) sempre scintillante.

Lei aveva poche relazioni. Non conosceva donne e pochi uomini, né incoraggiava affatto chi andava a trovarla. Sotto questo aspetto, Super poteva considerarsi privilegiato, e quando la padrona di casa della ragazza, il lunedì dopo mezzogiorno, le presentò il biglietto da visita dell'investigatore, lei lo fece salire.

Super salì lentamente i sei piani, entrò nel salotto col cappello in mano e con quella smorfia che pretendeva di essere un sorriso.

— Divento vecchio — disse posando il cappello sul pianoforte. — Mi ricordo del tempo in cui avrei salito questi sei piani in due salti.

Dall'atteggiamento di Super e dai suoi discorsi, lei non arrivava a capire se egli veniva a darle qualche notizia o se voleva interrogarla ancora a proposito di Big-Foot. La sua abitudine di far precedere le conversazioni importanti da preliminari banali e vaghi, pensò, doveva far parte del suo razionale sistema d'interrogare. E in ciò non s'ingannava.

— Avete un bel salottino, veramente, signorina Leigh, molto confortevole. Se mi diceste di sedermi, obbedirei, ma se mi diceste: "Minter, fumate pure" non oserei farlo, perché la qualità del mio tabacco...

— Potete perfettamente sedervi e fumare. Le finestre sono aperte e in fondo a me piace l'odore del tabacco, qualunque sia.

— Sì, ma quello che fumo io non si sa esattamente cosa sia. Alcuni assicurano che è tabacco, altri sostengono di no — spiegò l'investigatore caricando la pipa. — Suonate il pianoforte, signorina?

— Qualche volta.

— Non si può parlare di buona educazione senza lo studio del pianoforte — disse gravemente Super. — La gente oggi non sa suonare che... il grammofono. Vi siete completamente rimessa dalla cattiva notte di avant'ieri?

— Oh, sì; ormai non è più che un triste ricordo.

— In quanto a me, se fossi restato cinque ore sotto la pioggia, sdraiato nel fango, credo che non mi sarei rimesso più; ma per voi, giovane come siete, ciò non avrà avuto altra conseguenza che un po' di reumatismi.

— No, affatto; neanche reumatismi — rispose Elfa sorridendo.

— Vedo che avete anche molti bei libri.

Prese alcuni volumi dalla biblioteca e li sfogliò. — Non avete qualche libro che tratti di antropologia? O di psicologia? Non ne vedo nessuno che parli di delitti.

— I delitti non m'interessano — dichiarò la ragazza. — Tutti quei libri appartenevano a mio padre.

Super voltava lentamente le pagine di un volume che aveva levato da uno scaffale; lo rimise a posto e poi: — È stato ucciso durante la guerra. Lo incontrai una volta.

— Mio padre? — domandò ella con interesse.

— Sì. Un impiegato che lavorava nel medesimo ufficio di vostro padre aveva rubato del denaro per giocare alle corse e io fui incaricato dell'inchiesta. Mi parve un gentiluomo perfetto; parlo naturalmente di vostro padre.

— Era l'uomo migliore del mondo — disse Elfa calma e l'investigatore approvò con un cenno di testa.

— Il signor Cardew è andato in ufficio, oggi? — domandò lui.

— No. Mi ha telefonato stamattina. È tornato a Barley Stack. Credo che si sia rimesso ormai dalla scossa provocata in lui dalla morte della sua governante, poiché la sua cameriera mi ha detto che lavorava molto.

— Teorie e deduzioni — commentò malinconicamente il poliziotto. — Elabora teorie, induce, deduce... Ho fatto un salto da lui stamattina e l'ho trovato nel suo ufficio, circondato da libri di antropologia, di sociologia, di logica e via dicendo. Aveva una pianta della villetta e la misurava con un compasso e un righello. Ha trovato, per esempio, che dalla porta d'ingresso alla cucina c'erano sette metri e novanta. Aveva anche un quadro delle maree dell'annata, ma non aveva microscopio e ciò mi ha deluso. Non aveva neanche provette o altri aggeggi per la chimica; forse li avrà tirati fuori dopo che io me ne sono andato. Ho portato via la pianta della villetta. Egli non ne ha bisogno; ha tutte le distanze in metri e in centimetri e un campione della sabbia della spiaggia. Questa sera sapremo certamente il nome dell'assassino.

Nonostante l'argomento fosse abbastanza triste, Elfa non poté fare a meno di ridere. — Non credete al metodo deduttivo, signor Minter?

— Chiamatemi Super, ve ne prego. V'ingannate, signorina, io credo alla scienza. Essa è troppo spesso trascurata dalla polizia, e ciò è male. Lei aveva comprato quel cappello da Astor's in High Street, a Kensington. Voleva quel cappello, nonostante fosse dell'anno precedente. Strana, una donna che desidera un cappello che non è più di moda.

La transizione da un argomento all'altro era stata così rapida che la ragazza ne era rimasta completamente sbalordita. Che cosa aveva a che fare quella storia del cappello con la scienza?

— Ah! — esclamò infine. — Parlate della signorina Shaw? E che genere di cappello era?

— Un grande cappello di paglia gialla con una veletta tutt'intorno; sapete, quella specie di cappello che nasconde interamente il viso. Lo comprò sabato, poco prima che chiudesse il negozio, e non le stava bene; la commessa d'altronde glielo aveva detto.

Super si voltò ancora verso la biblioteca e osservò parecchi libri contentandosi di dar loro una rapida occhiata.

— Ancora uova e patate? — domandò a un tratto.

— A Edwards Square? No. Non ho più notizie di Bolderwood Lattimer.

— Vi piacciono i fiori, signorina?

— Infinitamente.

Super si grattò il mento.

— E a chi non piacerebbero? I fiori mi rendono oltremodo sentimentale. Ho un libro pieno di poemi ispirati dai fiori. È strano che nessuno abbia scritto un poema sui lillà.

Lei lo guardò maliziosamente. — Signor Minter, voi la prendete molto alla larga per arrivare a parlarmi dei fiori trovati a Edwards Square. Io scriverei volentieri un poema sul lillà, se fossi capace di scrivere un poema. È il mio fiore favorito.

— Il mio è il tulipano — mormorò Super.

Elfa lasciò la stanza per ordinare il tè. Quando tornò l'investigatore stava sfogliando un altro libro.

— Vi piacciono molto i libri?

— Molto — confessò; poi lesse su un frontespizio: "J.K.L." — Sono le iniziali di vostro padre?

— Sì: John Kenneth Leigh.

— Un uomo molto per bene — osservò il detective — e certamente incapace di farsi dei nemici.

— Non aveva un nemico al mondo — affermò lei. — Tutti lo adoravano.

Super fece udire uno strano grugnito. — Questo certamente non si dirà mai di me.

— Sono sicura che voi siete molto più popolare di quanto non vogliate confessare — protestò lei versandogli il tè. — Non riuscirete mai a farmi credere che siete detestato.

— Non lo sono, ma lo sarò — assicurò Super cupamente. — Credetemi, signorina, io sono sulla buona strada per diventare uno degli investigatori più impopolari di tutta la polizia, e presto.

16. Una cenetta

Al momento di lasciare la ragazza, Super le disse che sarebbe tornato al suo ufficio, ossia alla stazione della divisione "I". Qualche volta si permetteva alcune piccole bugie che egli giudicava perfettamente giustificate e anche utili. Il suo vero obiettivo era il Fregetti. Questo albergo, per quanto si trovi all'estremità di Portland Street, ossia in un quartiere poco elegante, non ha nulla da invidiare al Ritz Carlton o a qualsiasi altro locale del genere, per la qualità dei suoi clienti; il suo ristorante, infatti, è considerato il migliore di Londra.

Super si scelse un posto e aspettò. Una fila di automobili si fermava continuamente davanti al Fregetti, per depositarvi molte belle signore accompagnate da rispettabili gentiluomini. Suonava il quarto dopo le nove quando scesero da un tassì i due uomini che l'investigatore aspettava e che, pagato l'autista, penetrarono nel ristorante. Il primo era Elson, seguito da un personaggio più elegante di lui e molto sicuro di sé nel suo *smoking* ben tagliato. Super lanciò un brontolio di soddisfazione, mentre mormorava tra sé: — Sembra che non vi annoiate, Lattimer. Sembrate abbastanza vivace per un uomo così stanco...

I due uomini si sedettero. La semioscurità che regnava nella sala, dove piccole lampade con paralumi rossi illuminavano solamente le tavole sulle quali erano posate, conferendo così al locale un'atmosfera di lussuosa intimità, piacque moltissimo all'americano che odiava tanto la luce quanto la compagnia.

— Dove avete lasciato quel vecchio pazzo? — domandò Elson.

— Super? Sarà in qualche punto della città — rispose Lattimer accendendo la sigaretta che aveva tolto da un astuccio d'oro.

— Ed ora che cosa pretendete da me? — domandò Elson.

— Voglio ancora cinquecento sterline — replicò freddamente il sergente.

— In dollari, sarebbe ancora una cosa possibile — rispose l'altro — ma in lire sterline!... E le cento sterline che vi ho dato quindici giorni fa? Che cosa ne avete fatto?

— Le cento sterline che mi avete prestato — corresse subito Lattimer — e per le quali vi ho dato una ricevuta. Quello che ne ho fatto non riguarda nessuno. Ora me ne occorrono cinquecento.

Il volto d'Elson si rabbuiò. — E voi credete — scandì sottovoce — che questo giochetto durerà all'infinito? Se andassi a raccontare al vecchio che voi...

— Voi non racconterete niente — rispose piano Lattimer. — Io vi ho risparmiato un sacco di noie e avrò ancora occasione di seguitare a farlo. Sapete bene che sta a me tirarvi fuori da qualsiasi pasticcio, a meno che, beninteso, non si tratti di un assassinio.

— Perché mi parlate di assassinio? — gridò Elson.

Alcuni clienti, a una tavola vicina, girarono la testa verso l'americano, il quale abbassò subito il tono della voce.

— Vi darò le cinquecento sterline, non perché abbia paura di voi, poiché voi non potete niente contro di me, ma perché ciò mi fa piacere, semplicemente. Io non ho paura della polizia.

— Ricordatevi che la polizia c'è anche a San Paolo — interruppe l'altro con un ghigno. — Voi siete ricercato da quella polizia per furto a mano armata. Avete già scontato due condanne negli Stati Uniti, e questa volta, se vi estradano, in prigione ci resterete per un pezzo. Farvi estradare richiederà qualche tempo; e se si eccettua questo — concluse il sergente sorridendo — io non posso niente contro di voi.

— Ricattatore! — sibilò Elson tra i denti.

— Imbecille! — replicò Lattimer che pareva di buonumore. — Ascoltatemi bene, Elson o Alstein, o quello che volete: io posso rendervi grandi servigi e ho l'idea che l'occasione non tarderà a presentarsi. Ricordatevi che quello che conta non è quello che io so, ma quello che sta passando nel cervello di Super.

— È al corrente della storia di San Paolo?

— Non lo so, ma non importa — rispose freddamente il sergente. — Queste storie, come le chiamate voi, non basteranno a concedere la vostra estradizione.

— Come? — esclamò il milionario confuso. — Non mi dicevate or ora...

— La verità è questa: finché resterete in Inghilterra, non correrete nessun pericolo. È inutile che facciate quella brutta smorfia; l'ho saputo solamente oggi.

Si chinò sulla tavola e abbassò la voce: — Elson, c'è qualcosa di molto brutto nell'affare di Hannah Shaw. Super mi ha mandato a Cambridge per verificare il vostro alibi. Gli ho riferito di aver trovato il garage dove avevate rimesso la vostra vettura, che viceversa non ho mai trovato. Ma voi, non siete stato a Cambridge?

— Come volete che me ne ricordi? Non vi ho detto che ero completamente ubriaco? Credo di essere stato da qualche parte vicino a un collegio; e non so altro.

Lo sguardo pungente del sergente Lattimer non abbandonava un istante il suo uomo. — Su, Elson — insisté — dite quello che avete da dire.

L'altro scosse la testa. — Non ho niente da dire — brontolò. — Che cosa vi prende? Dal momento che sapete tutto, perché mi interrogate?

— Chi ha ucciso Hannah Shaw?

Vedendo che non avrebbe più cavato una parola di bocca all'americano, gli disse: — Ordinate un'altra bottiglia e parliamo d'altro.

Era mezzanotte passata quando Elson tornò a Brow Hill. Ubriaco fradicio, riuscì dopo molti sforzi inutili ad aprire la porta di casa. Salì la scala barcollando ora contro il muro, ora contro la ringhiera. Riuscito dopo molti sforzi e ricerche a trovare il divano del salotto, vi cadde sopra e si addormentò istantaneamente. Una punta del suo colletto duro fu quella che lo riportò più tardi a uno stato di semicoscienza. Tutto insonnolito, si alzò. Gli girava la testa e aveva le gambe così deboli che potevano sopportare a stento il peso del corpo. Tentò diverse volte di togliersi il colletto, ma non riuscendovi, lo strappò. Poi spense la luce elettrica, pensando che gli avrebbe impedito di dormire. Il livido e fantomatico chiarore che, provenendo dal giardino, seguì al brillante sfolgorio delle lampade, gli rese un po' di lucidità. Tornò sul divano, si preparò un brandy che tracannò d'un fiato e si addormentò.

Era quasi giorno quando si svegliò. Aveva caldo. Aprì una finestra e aspirò profondamente l'aria pura e dolce dell'alba. Allora vide qualcuno che, quasi sotto di lui, passeggiava intorno a un'aiuola e chinandosi di tanto in tanto, coglieva fiori. Ne aveva già fatto un grosso mazzo.

— Ehi, laggiù! — gridò Elson. — Che cosa fate?

L'uomo si voltò ma non era ancora abbastanza chiaro perché l'americano potesse vederlo in viso. — Che cosa fate? — urlò furioso.

L'intruso, che non aveva risposto, scavalcò l'aiuola con un salto e fuggì. — Ah, perdio, ti acchiapperò! — urlò Elson fuori di sé. Ma allora, dallo spesso boschetto vicino, dove si era rifugiato l'uomo del mazzo di fiori, si udirono le parole di una canzone:

Il re dei Mori galoppa sul suo cavallo
Attraverso la città regale di Granada
Ay de mi Alhama...

Elson, fattosi improvvisamente livido, restò immobile. Con le mani aggrappate al davanzale della finestra e con gli occhi smarriti, guardava fissamente il fondo del giardino. — *Ay de mi Alhama...* — Il ritornello svaniva in lontananza, ma Elson non lo sentiva più. Come uno straccio tremante, gettato per terra, balbettava bestemmie e suppliche, e tremava di terrore come se avesse udito la voce di un morto.

Ma c'era anche qualcuno laggiù, nell'ombra della casa che, al contrario, sembrava essere stato galvanizzato dalla canzone. Super, poiché era lui, corse in strada e saltò sulla sua motocicletta, le cui esplosioni, simili a cannonate, svegliarono gli echi addormentati della campagna circostante. Il vagabondo, vedendosi inseguito, attraversò un campo correndo e si immerse in un fitto cespuglio. Aveva ancora in mano il suo mazzo di fiori. Siccome l'investigatore guadagnava terreno su di lui, egli cercò di procedere a zig zag, saltò un largo fossato e s'inoltrò per una prateria. Ignorava che essa era attraversata da un cammino paludoso e se ne accorse troppo tardi; nel momento stesso cioè in cui Super, saltando dalla sua motocicletta, lo afferrava per un braccio e lo rovesciava sull'erba.

— Giudizio, amico — consigliò il poliziotto.

Il vagabondo lo guardò con uno strano sorriso che gli illuminò il volto barbuto. — Temo di avervi causato seccature — mormorò debolmente. Il suo linguaggio e il suo accento erano quelli di un americano colto, della qual cosa Super non parve affatto sorpreso. — Nessuna seccatura — replicò allegramente. — Potete tenervi in piedi? — Il vagabondo si drizzò penosamente sulle gambe che tremavano.

— Credo che fareste bene ad accompagnarmi al posto di polizia e a prendere qualche cosa — disse dolcemente Super, mentre l'altro obbediva senza esitare.

Camminavano lentamente verso la città e frattanto l'investigatore manifestò la sua intima soddisfazione con loquacità.

— Una settimana fa, lo confesso, probabilmente vi avrei maltrattato. Pensavo che foste un tipaccio.

— Non sono affatto un tipaccio — rispose semplicemente l'uomo.

— Ne sono persuaso — disse Super. — Mi sono occupato molto di voi. Ho messo insieme una quantità di teorie sul vostro conto e ora sono certo di sapere chi siete. So anche il vostro nome.

Il vagabondo sorrise. — Nomi... ne ho tanti. Vorrei sapere solamente qual è il vero.

— Ve lo dirò io — replicò Super. — In nome della logica, delle mie teorie e delle mie deduzioni, dichiaro che voi siete John Kenneth Leigh, del Ministero del Tesoro degli Stati Uniti.

17. Un attentato

Gordon Cardew posò il compasso sulla tavola, si tolse gli occhiali e guardò il suo visitatore con la bocca aperta. Super, avendo prodotto la sensazione che desiderava, non volle più tenere in imbarazzo l'ex-notaio.

— Ma io avevo creduto che il padre di quella ragazza fosse stato ucciso in guerra.

— È vivo — ripeté l'investigatore — e attualmente si trova in una clinica dove lo stanno curando.

Gli occhi di Cardew andavano dal viso di Super alle carte distese sulla tavola, come se si chiedesse se quella notizia fosse tanto straordinaria da giustificare un'interruzione del suo lavoro.

— Ne sono felicissimo — disse infine — molto felice.

— È lui senza dubbio — continuò Super — l'uomo che udimmo cantare la notte del delitto. Io pensavo che egli vivesse in una grotta della roccia e vi accedesse per mezzo di una scala che doveva ritirare dopo essersene servito. Quest'ipotesi confermata da lui stesso...

— Il vagabondo? — esclamò Cardew. — Quello che era nel mio giardino la sera della cena?

Super confermò con un cenno di testa.

— Il padre della signorina Leigh? Un vagabondo? È incredibile!

Egli era visibilmente urtato. — Ma sì — disse Super — un vagabondo, che si comporta come tale, che gira un po' dappertutto, rubacchiando di qua e di là. Nonostante il suo stato attuale, egli deve ricordarsi del luogo dove ha vissuto, e temere, nel suo concetto primitivo delle cose, che sua figlia abbia fame. Per questo ruba le uova, le patate e le depone sulla porta della casa che una volta abitò con Elfa. Di tanto in tanto, le porta un mazzetto di fiori.

— Dunque è un essere... anormale? — domandò Cardew.

— Lo è e non lo è — fu la strana risposta del poliziotto. — I medici pensano che abbia avuto il cranio fratturato e che una scheggia d'osso prema sul suo cervello. Sul cuoio capelluto ha una cicatrice lunga dieci centimetri. Deve aver ricevuto una bastonata fenomenale sulla testa, o forse un colpo di scure.

Cardew guardava taciturno il soffitto. — Può anche essere stata una bomba — osservò. — Ho udito parlare di casi simili.

— Conoscete il mio sergente? — domandò Super col suo modo brusco.

— Lattimer? Sì. È venuto qui in diverse occasioni.

— Non l'avete mai trovato un po'... familiare?

Cardew esitò.

— No, e in ogni caso, non so se sarebbe troppo generoso da parte mia parlarne al suo superiore, ma...

— Ma?

— Mi fece capire un giorno che avrebbe desiderato trovare denaro in prestito.

— E gliene avete prestato?

— No. Ero seccato. Non mi aspettavo una richiesta simile da parte di un funzionario di polizia.

Seguì una pausa. — E dov'è il vostro vagabondo? — domandò Cardew.

— Il signor John Kenneth Leigh, del Ministero del Tesoro degli Stati Uniti, è in una clinica — rispose Super mettendo in rilievo tutti quei particolari.

— E sua figlia?

— La signorina Elfa Henriette Leigh è accanto a suo padre e cerca di risvegliare la sua memoria. Ma egli non fa che cantare quella buffa canzone nella quale si parla del re dei Mauri o di qualche cosa di simile. Evidentemente è la sua canzone preferita; ne ho visto la musica sul pianoforte di sua figlia, un giorno in cui ero andato a trovarla. C'erano anche molti libri sulla Spagna e di là hanno origine le mie deduzioni. E ora, signor Cardew, i miei rispetti.

Subito dopo Super si recò alla casa di salute di Weymouth dove era ricoverato Leigh.

— Dorme — gli disse Elfa. In pochi giorni la ragazza era sensibilmente cambiata. Le sue guance erano più rosee, i suoi occhi più brillanti.

— Vi ha riconosciuta? — domandò Super.

Ella scosse la testa. — Non ancora. Ma sono così felice... ritrovarlo dopo sei anni, non è una cosa meravigliosa, Super?

— Sono io che l'ho scovato — disse l'investigatore scherzando. Lei prese la sua mano rude fra le sue e la strinse.

— Lo so — rispose con una voce ardente e dolce. — Nessun altri che voi avrebbe avuto l'idea di stabilire un rapporto fra la canzone e mio padre. Lo strano è che anch'io lo sentii quella notte che passai sulla roccia, ma credevo di aver sognato.

— Non sapevate che c'era un vagabondo che cantava arie spagnuole?

Ella scosse la testa di nuovo. — No — disse. — Se avessi saputo avrei immediatamente pensato a papà, sebbene lo credessi morto. Quello che non capisco è perché non si sia fatto riconoscere. Perché si nascondeva da sei anni?

Super mostrò i denti in un sorriso quasi minaccioso.

— È il problema che mi propongo da tempo — rispose. — E ho già formulato diverse teorie al riguardo.

A pochi passi dalla clinica si trovava il domicilio del celebre chirurgo al quale Super, sotto la sua responsabilità personale, aveva chiesto di esaminare Leigh. Ebbe la fortuna di trovarlo in casa e il grande medico si mostrò ottimista.

— Quando pensate di operarlo? — domandò l'investigatore.

— Non posso dirvelo ancora. Il malato attualmente non è in condizioni di subìre un'operazione grave. Prima di tutto dobbiamo rimetterlo in forze.

— Fate che ciò avvenga il più presto possibile, dottore, in modo che l'affare non sia rimandato alla sezione di ottobre. Bisognerebbe fare a tempo per quella di giugno e così i colpevoli saranno impiccati in luglio. Non mi piacerebbe andare in vacanza prima che il mio uomo fosse morto.

Lasciò il chirurgo abbastanza imbarazzato, chiedendosi se non avesse avuto a che fare con un ubriaco. Dopo di che, Super si diresse al commissariato di Marybone Lane. Aveva qualche istruzione da dare al segretario del commissario. — Bisogna che uno dei vostri uomini sorvegli il numero 59 di Weymouth Street, giorno e notte — spiegò. — In quella casa c'è un membro dell'ambasciata degli Stati Uniti, di nome Leigh. Ecco la lista delle persone che non devono assolutamente essere ammesse alla sua presenza. — E lasciò sulla scrivania un foglio di carta.

— Ho avvertito la direttrice della clinica che non gli permettesse di mangiare sotto nessun pretesto qualsiasi cosa che non provenisse dalla cucina. In quanto ai vostri uomini, procureranno ugualmente che nessuno entri in casa dopo il tramonto.

Super si accomiatò dal segretario e saltò sulla sua motocicletta raggiungendo il suo personale quartier generale per mezzo di quel famoso ordigno che una volta di più seminò lo spavento fra la popolazione.

Lattimer lo mise a parte del risultato delle sue indagini a Pawsey. — Ho seguito per sei chilometri il sentiero che circonda Pawsey a sud. Un'automobile non può passarvi. In certi punti è troppo stretto e questi punti sono incassati tra scarpate. Inoltre è interrotto due volte fra strette barriere. Si ricongiunge con la strada di Londra a Lewes, come voi credevate.

— Come sapevo — corresse Super. — Dunque, un'automobile non potrebbe passarvi? Tanto meglio.

Lattimer spalancò gli occhi. — Io credevo invece che speraste...

— Tanto meglio — si limitò a ripetere l'investigatore, e siccome Lattimer si ritirava: — Elson va meglio, a quanto mi hanno detto.

— Non sapevo neanche che fosse ammalato — disse Lattimer con un tono d'indifferenza. L'abitazione di Super era una casetta attigua al posto di polizia. Era composta da un giardino microscopico e da un piano terreno comprendente due camere da letto e un salotto. Dietro alla casetta c'era un campicello dove vivevano alcune magnifiche galline Orpington dalle piume d'oro. Questi volatili dal carattere avventuroso ignoravano le frontiere, si nutrivano a spese dei vicini e non tornavano a casa se non per dormire. Ma era tale il prestigio che emanava dalla personalità del soprintendente Minter, che ben pochi proprietari osavano lamentarsi delle incursioni di quegli animali in casa loro. Viceversa, c'erano alcuni vagabondi di un'altra specie che non rispettavano né Super né le sue galline. Le loro figure brune e agili uscivano dalle colline verso sera e strisciavano astutamente verso i cortili. Super, che aveva scoperto il cammino che prendevano le volpi nelle loro spedizioni notturne, aveva confezionato da sé un congegno a molla, rudimentale, ma di sua piena soddisfazione. Appena l'animale afferrava l'esca, il congegno faceva partire una scarica di pallini in direzione dell'esca e per conseguenza del ladro.

Era già notte, quando Super, con l'intenzione di pulire il carburatore della sua moto, si diresse verso la piccola capanna dove la parcheggiava. Per quanto la sua vista fosse eccellente, aveva l'abitudine di guidarsi fino alla capanna seguendo con la mano un filo elettrico, teso a due metri circa dal suolo, che portava la corrente dalla casa fino al piccolo garage. Alzò la mano per afferrarlo, ma non avendolo trovato si chinò e tastò per terra, pensando che il filo fosse caduto, come infatti era. Un filo elettrico caduto non ha niente di straordinario in sé, pure l'investigatore rientrò in casa, portando un estremo del filo rotto ed esaminandolo alla luce di una lampada. Il filo era stato tagliato; era ancora visibile la traccia delle pinze.

— Benissimo — disse piano Super.

Indubbiamente non si trattava di uno scherzo; con Super c'era poco da scherzare.

Andò nella sua camera da letto e prese una rivoltella Colt di grosso calibro e una lampadina tascabile. Dopo di che uscì di casa e silenziosamente, a passi di lupo, si diresse verso il garage. Nella tranquillità della notte il silenzio era perfetto, interrotto solo, a lunghi intervalli, dal chiocciare lontano e insonnolito di una gallina. Tolse lentamente il lucchetto, poi aprì bruscamente la porta, avendo cura di ripararsi immediatamente dietro di essa. Si produsse subito una detonazione assordante, seguita da un rumore di vetri spezzati. Appena il fumo si fu un po' dissipato, Super penetrò nella capanna e vide, per terra, il suo congegno a molla con la canna diretta verso la porta. Non era stato lui a metterlo così, come non aveva attaccato l'esca alla porta per mezzo di una corda. L'ultima volta che aveva visto il congegno, era stato a un centinaio di metri dalla sua casetta, fra due cespugli, dove lui stesso lo aveva appostato. Qualcuno lo chiamò a voce alta. Egli attraversò la casa e aprì la porta. Era Lattimer. — Ebbene? — si stupì l'investigatore. — Vi credevo a letto.

— Ho sentito un'esplosione; che cosa è stato?

Lattimer pareva sconvolto. — Entrate — gli disse Super. — Ecco una buona occasione, per gli investigatori della nuova generazione, di studiare sul posto le relazioni fra causa ed effetti.

— Non ci sono state disgrazie? — domandò Lattimer.

— Tre vetri rotti e venticinque galline di razza svegliate a un'ora insolita. Non c'è altro.

Una nuvola di fumo si librava ancora nell'aria dietro la casa, e si avvertiva chiaramente l'acre odore della polvere. Lattimer seguì il suo capo fino alla capanna.

— Avevate messo il vostro congegno esplosivo qui? — domandò.

Super fece una smorfia d'impazienza. — Infatti — disse con un tono di sarcasmo — ho tentato di suicidarmi. Un'idea come un'altra.

Egli stava esaminando la canna del suo congegno. — Dev'essere un uomo che ha poco sonno...

— Chi? — domandò vivamente Lattimer.

— Il tipo che ha avuto l'amabilità di organizzare tutto questo. Sapeva che avrei acceso la luce prima di entrare nella capanna e prevedendo che avrei potuto scorgere a tempo la trappola, ha tagliato il filo. Furbo quel Big-Foot. Ma, Lattimer, io vi credevo a letto — insistette l'investigatore.

— No. Stavo passeggiando per la strada, fumando una sigaretta, quando ho sentito la detonazione. Decisamente quest'affare mi rende incredibilmente nervoso, capo.

— Siete troppo sensibile — disse Super.

Tornò verso casa seguito dal sergente.

— Andate a dormire, ragazzo mio, o perderete il vostro bel colorito.

Aspettò che Lattimer se ne fosse andato e tornò dietro la sua casa. Munito della lampada, ispezionò a lungo il suolo. C'erano almeno una dozzina di punti che avrebbero potuto servire d'entrata al malfattore, ma nessuna traccia rivelava il suo passaggio. La terra era secca e dura.

Il giorno seguente, nel pomeriggio, Super, accompagnato dal suo sergente, prendeva il tè da Jim Ferraby, quando Gordon Cardew si fece annunciare. — Finalmente ho messo a punto la mia teoria — dichiarò — e credo di avere infine la soluzione del mistero. Comincio.

Super si rivolse prima di tutti a Lattimer: — Aguzzate bene l'udito, ragazzo. Un giovane ufficiale di polizia non impara mai troppo; e quando vi si presenta la fortuna di potere ascoltare lo sviluppo delle teorie di un gentiluomo come il signor Cardew, dovete approfittarne. Ciò può insegnarvi moltissime cose o nessuna; non si sa mai. Sedete e ascoltate.

— Secondo le vostre dichiarazioni — cominciò l'ex-notaio — eravate tutti e tre nascosti sul ciglio della strada, quando la povera Hannah arrivò. Ella si fermò davanti a Beach Cottage e vi entrò, ma il muro di cinta v'impedì di vederla scendere dalla sua vettura.

— Perfettamente esatto — concesse Super, e aggiunse: — Ecco una deduzione della quale potete essere orgoglioso.

— Bene. Ora, dico io, voi non vedeste neanche uscire dalla Ford l'uomo che la occupava all'insaputa della mia governante. Egli vi era salito dopo di lei e si nascondeva rannicchiandosi nella parte posteriore dell'automobile. Appena Hannah ebbe aperto la porta della villetta, egli balzò su di lei, la spinse nel vestibolo soffocando le sue grida, la trascinò in cucina dove nessuno saprà mai quello che successe. Poi indossò il mantello e il cappello della vittima, uscì di casa, chiuse e mise il lucchetto alla porta. Rimontò in vettura, fece un mezzo giro, prese la via del mare fino al sommo della roccia, si sbarazzò del cappello e del mantello e raggiunse a piedi il punto vicino dove aveva nascosto la sua vetturetta. E questo è tutto.

L'investigatore, stupito, guardò fissamente il vecchio uomo di legge. Poi si alzò. — È una delle teorie più notevoli che abbia mai sentito esporre — disse alla fine e Jim capì che Super non scherzava più. — Per tutti i diavoli — aggiunse il poliziotto — avete ragione, signor Cardew.

Vi fu un lungo silenzio; poi la mano dell'investigatore strinse quella di Cardew. — Grazie — disse semplicemente.

Super non pronunciò una sola parola mentre Jim lo riaccompagnava con la sua vettura insieme al sergente. Quando furono arrivati: — Ritiro quello che dicevo di Cardew — dichiarò l'investigatore. — Non tutto, ma molte cose. Non è affatto uno stupido, ma ha fatto sì che io avessi più che mai fiducia in me stesso provandomi che sono più intelligente di lui.

— E come? — domandò Jim stupito.

— Non ha trovato nulla che riguardasse Big-Foot. Ora io so perfettamente chi è Big-Foot e, se volessi, potrei presentarvi a lui.

— L'assassino?

— Lui stesso.

— Hannah lo conosceva?

— No. Ella era già morta, prima che egli arrivasse.

— Ma Super, non dicevate che era stata uccisa da lui?

— Esattamente.

18. Una torta di ciliege

Il privilegio di cui godeva soltanto Super fu esteso a Jim; gli fu permesso di vedere Elfa a casa sua e di informarsi della salute di suo padre.

— Sta meglio che può, per il momento — rispose lei. — L'ambasciata americana si occupa di noi con molta bontà e mi ha assegnato fino a nuovo ordine una pensione che mi permette di non riprendere il mio lavoro da Cardew.

— L'avete visto recentemente?

— No, ma mi ha telefonato questa mattina. Era gentilissimo, per quanto molto distratto. Ho l'impressione che sia talmente assorto dal problema della morte della signorina Shaw che ciò gli impedisce di occuparsi di me. Ma è un brav'uomo.

— Chi? Cardew? — Jim sorrise. — Conosco qualcuno che non è del vostro parere.

— Super? Naturalmente. Come volete che Super sia dello stesso parere di chicchessia? Anche lui è un gran brav'uomo, ma convenite che ha la testa dura.

In quel momento squillò il telefono e la ragazza staccò il ricevitore. Mentre ascoltava, aggrottò le sopracciglia.

— No — disse — non ho mandato niente... Sì, ne sono certa. Non gliela date. Vengo subito.

Riattaccò il ricevitore e il suo volto prese subito un'espressione d'inquietudine. — Non capisco — disse. — La direttrice della clinica mi domanda se ho inviato una piccola torta di ciliege a mio padre. Io non gli ho mandato niente. È stata portata da un fattorino con un biglietto che, diceva, era stato scritto da me.

— Strano — osservò Jim, e mentre la ragazza andava a vestirsi gli venne l'idea di chiamare Super al telefono. Per fortuna, questi era al suo posto.

— Dite loro — raccomandò l'investigatore — di conservarmi questa torta. Accompagnate la signorina Leigh alla clinica e aspettatemi per la strada. Se notate un giovane che s'interessa in modo speciale della vostra presenza davanti alla clinica, basterà che gli diciate che state aspettando me.

Jim seppe così che la clinica era sorvegliata. Quando arrivarono, la direttrice li fece passare nel suo ufficio, mostrò il dolce sospetto e il biglietto che lo accompagnava. — Non è la mia calligrafia — disse Elfa. — Chi ha potuto mandare questa torta?

— Certamente un amico che ha voluto farvi una sorpresa — azzardò Jim, ma Elfa aveva già ben capito di che cosa si trattava.

— Super deve venire? — domandò.

— Sì, fra qualche minuto.

D'accordo con le istruzioni dell'investigatore, Ferraby andò ad aspettarlo in strada. C'era da cinque minuti appena, quando un uomo attraversò la via, gli si avvicinò e senza altri preliminari gli chiese i documenti. Li osservò a lungo, poiché i poliziotti sono scettici. Poi si udì un frastuono, come sferragliante di una vecchia mitragliatrice, che precedette di poco l'apparizione di Super, montato sul suo famoso ordigno. — Ho raggiunto le settantacinque miglia in Barnes Common — annunciò vittoriosamente con un lungo sorriso. — Il poliziotto di servizio all'incrocio dei tram avrebbe voluto fermarmi, ma sarebbe stato come voler acciuffare un raggio di luce.

Appoggiando la macchina sull'orlo del marciapiede: — Venite con me, Ferraby — disse.

Entrarono nella clinica e il dolce fu subito sottoposto all'esame dell'investigatore. — Ha un aspetto eccellente — disse. — Se non avete niente in contrario, signorina, me lo porterei via. Sapete, per caso, di dove veniva il fattorino?

— Da Trafalgar Square — rispose la direttrice. — Almeno così mi ha detto.

Lasciarono la torta al vicino commissariato e Super dette istruzioni perché fosse inviata al laboratorio di analisi in una scatola sigillata.

— Mi dispiace di non sapere dove trovare Lattimer in questo momento — disse Super. — È proprio il tipo che avrei voluto mettere sulla pista del fattorino, il quale dev'essere un ozioso qualunque pagato dal mittente della torta. Lattimer possiede una specie di affinità particolare con tutti quelli cui non piace lavorare.

L'investigatore tacque bruscamente, con l'aria preoccupata. — Signor Ferraby — disse dopo qualche istante di silenzio — non so perché mi è venuta improvvisamente la voglia di tornare in ufficio comodamente seduto in automobile. Posso chiedervi di riaccompagnarmi con la vostra macchina?

— Con piacere. La macchina è parcheggiata qui vicino. Aspettatemi un minuto.

Così fecero, e quanto alla motocicletta dell'investigatore, fu issata sui sedili posteriori.

— Le idee ci vengono in strani modi e ciò succede frequentemente di notte. La notte scorsa me n'è venuta una che mi ha riempito di gioia.

Gioia che il poliziotto rifiutò categoricamente di partecipare al suo giovane accompagnatore.

Il percorso fu compiuto rapidamente. — Entrate — disse Super. — Non ho intenzione di trattenervi a lungo, ma può darsi che ci sia qualche notizia.

Ce n'era infatti. Il sergente di servizio riferì di aver ricevuto la visita di un motociclista. — Ha dichiarato di essere stato fatto segno a due colpi d'arma da fuoco, a circa millecinquecento metri dalla villa in direzione di Londra.

Super sospirò allegramente. — Non l'hanno preso, eh? Meno male. L'ho scampata bella.

— Voi? — esclamò Jim. — Credevano di tirare su di voi?

— Senza dubbio; potrei giurarlo — rispose tranquillamente Super.

Ferraby capiva ora perché l'investigatore aveva voluto tornare in auto, messo in allarme dall'attentato della notte precedente. Era evidente che gli scoppi formidabili della sua motocicletta lo avrebbero segnalato molto prima del suo arrivo sulla strada. (Si seppe più tardi che anche il motociclista attaccato montava un ordigno particolarmente rumoroso.)

— Mi aspetto di tutto, ormai — dichiarò filosoficamente Super. — Ma faranno bene a spicciarsi.

Nello stesso preciso istante un uomo seduto su un masso fra due folti cespugli, sulla strada di Londra, con una rivoltella in mano, si meravigliava di non vedere tornare Super e s'impazientiva.

19. Presentimenti

Ferraby tutti i giorni andava a prendere Elsa Leigh per accompagnarla in clinica da suo padre. Il signor Leigh stava benino. Di giorno dormicchiava sempre, mentre la notte non riusciva a prender sonno.

— Papà deve aver preso l'abitudine di dormire durante il giorno e di vagabondare la notte — osservava sua figlia. — Ieri pomeriggio ho quasi avuto l'impressione che mi riconoscesse. Poco prima che lo lasciassi mi ha chiesto se potevo accompagnarlo al mare perché doveva ricercare i numeri 3 e 4. Pare che abbia chiesto la stessa cosa anche all'infermiera.

Ferraby tentennava il capo come chi non riesce a capire. — Bisogna che comunichi questo particolare a Minter. E voi avete parlato col dottore?

La ragazza gli aveva parlato. L'operazione era stata fissata per il sabato seguente.

Elfa chiese quindi a Ferraby se sapeva qualcosa a proposito della torta. Lui si limitò a rispondere che l'analisi non aveva rivelato nessuna traccia di veleno. Ma la fanciulla non parve convinta. La sera infatti, quando Ferraby tornò alla clinica per riaccompagnarla a casa, riprese l'argomento.

— Io ho saputo da Minter che non è stata trovata traccia di veleno — la rassicurò Ferraby nuovamente.

— Mi stavo chiedendo anche questa mattina, se per caso mio padre non abbia assistito al delitto o se conosca l'assassino — continuava Elfa. — Oggi all'ora di colazione ho visto Cardew. L'avvocato è convinto che, se ieri è stato commesso un attentato contro mio padre, questo è dovuto al fatto che deve essere stato testimone, al villino, di qualcosa che non avrebbe dovuto vedere. Papà abitava allora in una caverna, dalla quale il villino è visibilissimo e Minter mi ha confermato questa notizia. Mio padre aveva l'abitudine di scivolare giù dalla scogliera dopo il tramonto per mezzo di una scala di corda, che ritirava poi ogni mattina dopo averla usata per arrampicarsi. Minter mi ha detto che questa scala era così sporca di gesso, da poter sfuggire agli occhi di un attento osservatore.

— Avete visto il sovrintendente, oggi, dunque?

Il vecchio funzionario le aveva fatto una visita alla casa di salute, ma aveva risposto evasivamente alle domande che riguardavano la torta incriminata.

Quando giunsero davanti alla porta della casa della ragazza, Ferraby volle invitarla a prendere un té, ma Elfa non volle accettare. — Vorrei che tutto fosse finito — disse, e nella sua voce c'era dell'angoscia. — Ho una strana sensazione... come il presentimento di un tremendo pericolo.

Nell'accomiatarsi, però, sorrise a Ferraby.

Il giovane non sapeve che cosa fare. Si era tenuto libero la serata con l'idea di poterla trascorrere con Elfa. Il tempo era bellissimo. Quasi meccanimente si diresse verso i "quartieri occidentali" per andare a trovare Super, ma questi se n'era già andato per i fatti suoi. Anche Lattimer era irreperibile.

Ferraby allora risalì la collina fino a Barley Stack ed ebbe la soddisfazione di scorgere l'avvocato Cardew che passeggiava su e giù per le aiuole con le mani dietro la schiena. Al rumore dell'automobile si volse e gli andò incontro con la mano tesa.

— Se stasera desideravo vedere qualcuno — disse il vecchio avvocato — quel qualcuno eravate proprio voi. Tutto quello che è accaduto mi fa l'effetto di una cosa così poco reale, che mi sembra di udire da un momento all'altro la voce un po' brusca di Hannah. La mia governante aveva forse un carattere un po' duro, ma senza dubbio vi era in lei qualcosa di buono, che nessuno ha saputo apprezzare.

Erano giunti chiacchierando all'estremità del prato. Di là si vedeva bene Hill Brow.

Ferraby provò una strana sensazione alla vista di quella casa. In quel momento il suo compagno lanciò un'escalamazione di meraviglia. — Mi sembra una sera ben calda per accendere il fuoco. Cosa ve ne pare?

Da uno dei camini di Hill Brow infatti, si levava una nube di fumo bianco.

— Io so per puro caso che quel camino corrisponde alla caldaia del termosifone del signor Elson — diceva Cardew lentamente. — Non capisco come possa sentire il bisogno di riscaldarsi in una simile serata.

I due uomini rimasero in silenzio a osservare lo strano fenomeno. Era evidente che la caldaia veniva continuamente alimentata, perché il fumo non diminuiva.

— Stanno forse bruciando dei rifiuti del giardino — suggerì Ferraby.

— Impossibile — rispose Cardew. — A questo scopo esiste un forno speciale, laggiù. Le ceneri che vi si producono sono adoperate per la concimazione. Per di più in questa stagione la campagna è verde e non vi sono né ramoscelli, né foglie secche.

Ferraby continuava a osservare quello spettacolo che a dire il vero lo interessava poco. — Può darsi che distrugga delle vecchie carte — suggerì. — Anch'io una volta l'anno sono costretto a farlo. E non mi chiedo di certo se la stagione è più o meno propizia per accender il fuoco.

— Non conosco abbastanza a fondo il nostro uomo — riprese Cardew — ma non ho mai potuto togliermi dalla testa che sia un uomo poco scrupoloso. Mi sto chiedendo che cosa starà bruciando.

Diede un'occhiata attorno e, visto il suo giardiniere, lo chiamò. — Ho bisogno di voi — disse l'avvocato — per far recapitare un biglietto al signor Elson. — E andò un momento in casa per scrivere.

Quando l'uomo fu partito per la sua commissione, Cardew si compiacque di spiegare a Ferraby il suo piano.

— Ho semplicemente invitato Elson a venire domani a pranzo da me.

Non che io desideri la compagnia di quell'uomo, ma mi sono cacciato in testa che il mio giardiniere troverà l'americano solo in casa.

— Il che secondo voi cosa dovrebbe provare? — chiese Ferraby.

— Forse proverà che avrà avuto buone ragioni per allontanare da casa sua tutta la servitù per poter distruggere ciò che lo può incriminare. E ora desidero mostrarvi qualcosa di molto interessante.

Ferraby lo seguì nel suo studio e, vedendo sopra ad un tavolino un oggetto assai voluminoso, si chiese cosa mai potesse essere. L'oggetto era ricoperto da grandi fogli di carta che Cardew rimosse. Era un modello perfetto di Beach Cottage.

— L'ho fatto costruire da uno specialista — dichiarò l'avvocato con orgoglio. — Il tetto è smontabile e tutti i particolari sono uguali all'originale. Notate: ci sono persino i chiavistelli alla porta posteriore. — Sollevò un pannello, mostrando la comunicazione tra la cucina e la sala da pranzo — Ora, qui — riprese poi — abbiamo un punto importante da chiarire. Dall'esame accurato che il sovrintendente fece delle camere del villino, risulta evidente che Hannah insieme col suo misterioso compagno si recò direttamente in cucina. Perché non entrò per esempio nella sala da pranzo?

— Perché doveva prendere la lettera — rispose pronto Ferraby.

— La lettera! — fece Cardew, come colpito dal fulmine. — Di che lettera intendete parlare?

— C'era una lettera diretta al magistrato inquirente del West Sussex. Minter ne trovò la busta sotto il corpo della donna. E trovò pure una piastrella che era stata sollevata. Nel pavimento sotto il tavolo c'era infatti uno spazio vuoto, dove certamente era stato nascosto il documento.

L'angoscia affannosa che invase Cardew a questa rivelazione fu tanto sproporzionata alla causa, da sembrare a Ferraby addirittura comica.

— Una lettera! — esclamò l'avvocato riacquistando un poco di dominio su se stesso. — Ma questo non è risultato all'inchiesta e sconvolge parte delle mie teorie. Il fatto che Minter si permetta simili reticenze mi irrita.

— Sono stato io invece che ho fatto male a parlare — disse Ferraby.

Cardew sedette, considerando tristemente il modello della sua villa.

— Potrebbe darsi — ammise finalmente. — Io non credevo che potesse esistere altro movente al delitto. Se c'era una lettera indirizzata al magistrato inquirente, si potrebbe forse pensare di trovarsi di fronte ad un suicidio?

— Non credo che Minter pensi a una cosa simile — rispose Ferraby sorridendo. Cominciava a pentirsi di essersi lasciato sfuggire la notizia della lettera.

— Io invece ci avevo pensato. Ma il fatto che nessun'arma sia stata trovata vicino al cadavere esclude questa possibilità.

A questo bisogna aggiungere il fatto che le porte erano chiuse dall'esterno — suggerì Ferraby.

— Sì — convenne Cardew, — Tutto il mio lavoro va rifatto da capo. Ma sono assolutamente deciso a trovare la soluzione.

Prese quindi un quaderno dalla sua scrivania e cominciò a sfogliarlo lentamente. Una pagina era tutta dedicata al calcolo delle ore, un'altra riguardava le misure, una terza dava all'ingrosso il rilievo della spiaggia nel tratto che fronteggiava il villino. Innumerevoli fotografie riproducevano il villino visto da ogni parte. Vi era pure una carta topografica del Sussex, sulla quale il signor Cardew aveva segnato in rosso certe strade e certi sentieri. Come spiegò a Ferraby, potevano essere le vie per le quali l'assassino poteva essersi dileguato. Stavano appunto esaminando questi sentieri, quando riapparve il giardiniere.

— Ho consegnato il biglietto al signor Elson, secondo le vostre istruzioni — disse.

— È venuto in persona ad aprirvi? — chiese Cardew.

— Sissignore. Ho dovuto aspettare più di cinque minuti, ma finalmente è venuto. Credo che i domestici fossero tutti fuori di casa.

Cardew si appoggiò allo schienale con aria di superiorità soddisfatta.

— E com'era vestito? Questo mi interessa in modo speciale. E poi, avete osservato se le sue mani fossero... come dire... se fossero nello stato normale?

— Le mani... le mani erano nere — rispose il giardiniere. — Si direbbe che avesse fatto lo spazzacamino. Aveva addosso soltanto i pantaloni e la camicia. Sembrava molto accaldato.

— Grazie, non mi occorre altro — disse Cardew e continuava a sorridere soddisfatto.

— Avevo ragione sì o no? — chiese poi rivolgendosi a Ferraby appena il giardiniere fu uscito. — Ne ero sicuro. Non c'è forse qualcosa che ricollega questo strano atteggiamento alla morte di Hannah? Non dimenticatevi che l'americano conosceva assai bene Hannah e aveva avuto con lei dei convegni segreti. Io so dalle chiacchiere dei miei domestici che Hannah faceva frequenti visite a Hill Brow. E poi c'è un altro fatto: dal momento della morte della mia governante, Elson non ha passato un sol giorno senza ubriacarsi. Ha sempre bevuto molto anche prima, ma da quando è stato commesso il delitto ha sorpassato ogni limite. Continua a vagare per la casa di notte. Ha degli accessi di terrore, durante i quali urla come un pazzo. Diversi dei suoi domestici, per questa ragione, se ne sono andati.

Cardew si alzò, rimise a posto il tetto del modello e ricoprì il tutto con la carta. — Finora sono rimasto nel campo delle deduzioni. Ora voglio avventurarmi in un campo nuovo, benché la mia età e il mio fisico siano poco adatti.

— E cioè? — chiese Ferraby.

— In altre parole — dichiarò Cardew quasi solennemente — mi preparo a svelare il mistero che si annida a Hill Brow.

20. Prima Hannah, poi voi

Il sergente Lattimer aspettò che scendesse la notte e si diresse a Hill Brow. Non entrò dal cancello principale, ma girò intorno alla proprietà e si fermò davanti a una piccola porta del muro di cinta, che costituiva la sua abituale via di accesso alla sontuosa villa di Elson. Questa volta, l'americano non era là per aspettarlo, ma Lattimer non aveva bisogno di lui. Aprì la porta con precauzione con una chiavetta che tolse di tasca, strisciò silenziosamente nel giardino e richiuse la porta dietro di sé. Dopo una breve ricognizione, avanzò senza fare il minimo rumore verso l'ingresso della villa. Arrivatovi, non suonò il campanello, né bussò, ma toltosi di tasca un pezzo di carta, che doveva essere gommato da una parte, lo applicò sul pannello superiore della porta, dove aderì immediatamente. Ciò fatto, tornò sui suoi passi, girò intorno all'edificio e bussò leggermente con le dita sui vetri di una finestra. Non avendo ottenuto nessun risultato, rinnovò il tentativo con maggiore energia. Poco dopo udì un leggero scricchiolio, simile a quello prodotto da una sedia quando ci si alza, e il volto spaurito dell'americano apparve alla finestra: i suoi occhi cercavano di vedere attraverso l'oscurità.

— Siete voi? — brontolò Elson.

— Io; abbassate pure la rivoltella. Nessuno vi vuol più fare del male.

Il sergente entrò, richiuse la finestra e, abbandonandosi su una sedia, si avvicinò una scatola di sigari. — Super è andato a Londra — disse.

— Per me può andare al diavolo — rispose l'altro.

Si vedeva chiaramente che aveva bevuto molto. Coloro che non lo avevano visto da una settimana non l'avrebbero riconosciuto. Gli tremavano le mani e le mascelle si contraevano convulsamente.

— Super andrebbe anche al diavolo — riprese Lattimer — se credesse di trovarvi la persona che cerca.

— Farebbe bene a stare attento ai...

— È assolutamente inutile gridare — disse il sergente alzando una mano.

— Egli non può far niente contro di me.

— Forse crede tutto il contrario — disse Lattimer troncando coi denti l'estremità di un sigaro — Non si sa mai quello che pensa. Stamattina mi sono domandato se non sospettasse di me. Mi ha fatto un certo discorso sui vantaggi che potrebbe avere un malfattore denunciando i suoi complici.

Elson si passò la lingua sulle labbra. — Ciò non può riguardare nessuno di noi due — commentò.

— Non facciamo casi personali — rispose Lattimer. — Prendo una goccia di whisky; ne resterà meno per voi e sarà tanto di guadagnato. Che cosa avete fatto stasera, i fuochi d'artificio?

— Che cosa volete dire?

— Ho visto i comignoli di Hill Brow vomitare nuvole di fumo e fa troppo caldo per accendere la stufa.

Elson rifletté un istante prima di rispondere. — Mi sono sbarazzato di un mucchio di cose vecchie e inutili — spiegò.

Fumarono in silenzio per qualche minuto, poi Lattimer domandò: — Siete stato a Londra questa mattina?

L'altro lo guardò con sospetto. — Sì, non ne posso più di Hill Brow — disse — e sono andato a respirare un po' d'aria di Londra. C'è qualche cosa di male?

— Che specie di cabina vi hanno dato?

L'americano sussultò.

— La Canadian Pacific Railway — aggiunse Lattimer — è una buona compagnia. Suppongo che non abbiate intenzione di sbarcare a New York?

— Ma... chi vi ha detto...

— Avevo indovinato da tempo che cercavate di fuggire, e naturalmente ciò mi secca. Non vedo con piacere svanire una sorgente di guadagni.

— Guadagni? Prima li chiamavate prestiti. D'altronde, io non so ancora spiegarmi perché vi ho dato tanto denaro.

— Perché vi sono utile — disse Lattimer — e vi sarò ancora più utile sabato prossimo. Vorreste che si sappia che lascerete questo paese? Suppongo che quando sarete al sicuro in Canada...

— Io sono al sicuro dappertutto — esclamò Elson con violenza. — Vi ripeto che la polizia non può farmi niente.

— Me l'avete detto tante volte che finirò per crederci — assicurò Lattimer ridendo. — Su, Elson, siamo seri una buona volta. Che cos'è che vi assilla in codesto modo?

— Sono stanco dell'Inghilterra; specialmente dopo la morte di Hannah. Il mio sistema nervoso si logora. Che cosa ne è stato di quel vagabondo, Lattimer?

— Di quello acciuffato da Super? E chi lo sa? Perché?

— Così... senza una ragione speciale. L'ho visto nel mio giardino la mattina in cui è stato arrestato e il mio autista era per la strada quando Minter lo acciuffò. È un pazzo, vero?

— Pazzo? Può darsi; per lo meno, Super lo crede e io non ho il diritto di avere un'opinione, quando sono di fronte al capo.

— Dite un po' Lattimer — Elson si chinò in avanti e la sua voce diventò un lieve mormorio. — Voi che conoscete bene le leggi inglesi, sapete se si può tener conto della testimonianza di uno squilibrato? Una denuncia presentata da lui, per esempio, può essere presa in considerazione? No, vero?

Lattimer scrutava l'uomo con uno sguardo insistente.

— Che cosa temete? — gli domandò.

— Non temo niente. Che cosa vi fa credere che io abbia qualche cosa da temere? Sono semplicemente curioso e credo di ricordarmi di quel vagabondo. Mi pare di averlo incontrato in qualche parte degli Stati Uniti. Forse nell'Arizona, quando lavoravo la terra. Credo di averlo impiegato e un po' maltrattato. Ciò succede spesso laggiù... Capite quello che voglio dire?

Egli mentiva e Lattimer sapeva che mentiva.

— Non credo che le dichiarazioni di un pazzo, giuridicamente parlando, possano essere prese in considerazione. Almeno lo spero. Ma in quanto a quello di cui parliamo, fra poco non sarà più pazzo. Super mi ha detto che lo opereranno presto e che c'è tutta la speranza di una guarigione completa.

Elson sussultò, livido. — Bugia! Bugia! Non può guarire — gridò. — Buon Dio, se avessi saputo... se avessi saputo!

Lattimer l'osservava, impassibile. — È proprio quello che pensavo anch'io — disse. — Quel tipo può farvi arrestare. Ma state tranquillo, passeranno giorni e settimane prima che recuperi la ragione, se pure la recupererà.

L'altro, più calmo ora, si versava da bere, ma qualche cosa l'aveva colpito nel tono del sergente.

— Che cos'è per voi quel vagabondo? — domandò.

Lattimer alzò le spalle. — Per me? Niente.

Elson si chinò verso il suo interlocutore. — E se non fosse così pazzo come voi pensate? Pare che egli dorma nella grotta della roccia di fronte a Beach Cottage. Forse era lì quando arrivò Hannah e ciò potrebbe seccarvi, no?

Lattimer scoppiò a ridere e lanciò una boccata di fumo in alto. — Voi forse sareste seccato — disse. — Se pensate che io lo conosca, quel Leigh, v'ingannate. Ho sentito parlare di lui, naturalmente, ma quando Super lo condusse al commissariato non lo avevo ancora visto. Lo vidi allora per la prima volta. Stava bevendo una tazza di tè...

A un tratto Elson alzò una mano per interromperlo e tese l'orecchio, poi guardò l'orologio. — I miei domestici che tornano... — disse.

— Verranno qui?

— No, a meno che non li chiami.

Qualcuno bussò alla porta. Lattimer si alzò subito e si nascose dietro una tenda, mentre l'americano si dirigeva verso la porta e l'apriva. Era il suo cameriere. — Scusatemi, signore — disse — non vorrei disturbarvi, ma...

— Ebbene? — domandò Elson rudemente.

— Vorrei sapere, signore, se avete visto il pezzetto di carta appiccicato sulla porta.

— Un pezzetto di carta sulla porta? — domandò Elson sorpreso. — Che cosa mi raccontate?

Tirò da parte il cameriere e attraversò il vestibolo correndo. Ora tutte le luci erano accese. Aperta la porta con un gesto brusco, si fermò d'un tratto davanti al foglio bianco e lesse lentamente: *Prima Hannah, poi voi. Big-Foot.*

Si portò una mano alla gola. Voleva parlare, ma dalle sue labbra non uscì che un rauco grido d'angoscia. Tornato barcollando nel salottino, chiuse la porta a chiave. — Lattimer! — gridò con uno sforzo — Lattimer! — Guardò febbrilmente dietro la tenda. Lattimer non c'era più.

21. Una tazza di tè

Super, dopo aver montato la sua motocicletta su un cavalletto, stava tentando di regolarne il funzionamento. Nonostante l'ora mattutina, non si faceva scrupolo di far andare al massimo di giri quel diabolico motore; delle reazioni che quel chiasso poteva provocare nei suoi vicini non si preoccupava affatto.

Terminato il proprio lavoro, Super accese la pipa. Poi scomparve nella baracca e ne uscì quasi subito portando sulle spalle un sacco di becchime. Entrò nel pollaio, distribuì il becchime e raccolse le uova. Quindi si occupò della propria pulizia personale. Stava finendo di lavarsi e fischiettava fregandosi la testa con un asciugamano, quando Lattimer entrò per ricevere gli ordini del mattino. — Portatemi la posta.

Il sergente tornò quasi subito con alcuni plichi chiusi, la maggior parte con sigilli ufficiali, e il vecchio investigatore li sfogliò rapidamente.

— Vediamo un po'... Una fattura, un reclamo contro la mia motocicletta, una lettera di Scotland Yard... ed ecco quello che volevo.

Era una busta ordinaria e Lattimer osservò che aveva una testata a stampa che non riuscì a decifrare.

— Hum! — fece Super dopo aver letto. — Sapete che cos'è la aconitina?

— No, capo. È un veleno?

— Quasi quasi. Una presina grossa come una testa di spillo basterebbe per mandarvi all'altro mondo, Lattimer. Me, non mi ucciderebbe, perché io sono molto più robusto di voi e non faccio baldorie.

— È la lettera del laboratorio? — domandò il sergente.

— Sì. Fate una piccola indagine e cercate di trovare il personaggio che recentemente ha comprato aconitina. Non è una cosa che si acquista comunemente. Domandatene a Scotland Yard. Non avete mai sentito parlare di questo prodotto?

Super si stava abbottonando il colletto, col collo storto e la testa piegata all'indietro.

— No, mai.

— Scommetto che il vecchio Cardew, quel famoso poliziotto dilettante, vi citerebbe una dozzina di delitti commessi con l'aiuto di quella droga.

— È probabile.

— Io non posso soffrire gli avvelenatori — dichiarò Super annodandosi la cravatta con una cura inconsueta. — Sono gli assassini più abbietti; non confessano mai. Lo sapevate, Lattimer? Un avvelenatore non confessa mai, neanche quando ha la testa infilata nel nodo scorsoio.

— Non lo sapevo — disse Lattimer pazientemente.

— Scommetto che il vecchio Cardew lo sa. Scommetto che possiede dei libri su quest'argomento che vi farebbero rizzare i capelli sulla testa.

Super rispose velocemente alle sue lettere, poi partì in motocicletta per diverse visite importanti. Passò prima di tutto un quarto d'ora al telefono, in una cabina pubblica, discutendo su diversi argomenti con un soprintendente di una specie molto diversa dalla sua. Poi si trattenne quasi due ore da un cartaio in High Street e imparò un discreto numero di nozioni speciali concernenti certe specie di carta e le loro caratteristiche. Si trattenne qualche minuto soltanto in una scuola di dattilografia, ma furono momenti fruttuosi. Però le indagini più impegnative cominciarono a Londra, dove si diresse subito verso lo Strand. Incontrò per caso Jim e Elfa. L'automobile del giovane percorreva Whitehall diretta a Green Park. Elfa insisté perché Ferraby fermasse, volendo parlare con l'investigatore. Scesa dall'automobile, corse subito verso di lui.

— Noi andiamo a Kensington Gardens. Venite con noi, signor Minter?

— Non credo che il giovanotto — disse Super strizzando l'occhio verso Jim — desideri troppo la mia presenza, signorina Leigh. Non sono di quelli cui piace cacciarsi in mezzo a due giovani cuori innamorati.

— I nostri cuori sono giovani, signor Minter, ma non sono affatto innamorati — rispose Elfa, che diventò rossa come una fragola. — Il signor Ferraby è stato molto gentile con me...

— E chi non lo sarebbe? — mormorò Super. — Siete certa che non gli seccherà che io venga con voi?

— Naturalmente — rispose la giovane, leggermente imbarazzata. — Perché dovrebbe seccargli?

Super avanzò verso la macchina ferma. — Dicevo a questa ragazza — dichiarò a Jim — che non mi piace molestare i giovani che desiderano stare soli.

— Siamo felicissimi di vedervi, Super — rispose Jim.

— Io credo — aggiunse l'investigatore montando in macchina — che i giovani hanno tutto il tempo che vogliono per filare, tenersi la mano, ecc. e che fanno male, per esempio, a prendersela con un povero vecchio che entri in salotto senza aver prima tossito o canticchiato. Io non sono stato mai innamorato — aggiunse tristemente. — C'è stato qualche cosa, una volta, con una vedova... vi ho mai parlato di quella vedova sentimentale?

— Chissà che dolore le avrete dato, quando la lasciaste — scherzò Jim.

— Sì, può darsi, ma anche il piatto che mi lanciò in faccia mi dette un dolore.

Era la sola allusione che l'investigatore avesse mai fatto ai suoi amori. — Le persone fanno bene a sposarsi da giovani — insistette — così quando viene loro la voglia di divorziare, è troppo tardi, poiché hanno già messo insieme una famiglia.

— Non siete allegro questa mattina, Super — osservò Jim ridendo controvoglia.

— Non sono mai allegro di mattina.

Quando passarono davanti a Hyde Park, una sentinella presentò le armi. Super rispose solennemente.

— Salutava l'ufficiale che abbiamo incontrato — spiegò la ragazza.

Super, deluso, scosse la testa. — Credevo che finalmente i miei meriti fossero stati riconosciuti — disse. — Se fossi apprezzato per quanto valgo, le campane delle chiese sonerebbero tutte le volte che vengo a Londra.

Presero il tè da Alfresco. L'investigatore era già alla terza tazza, quando si mise a parlare. — Quella torta, mia cara signorina, era stata drogata. Se vi dicessi il contrario, non mi credereste.

— Volete dire avvelenata? — domandò Elfa impallidendo.

— Sì. Ho l'idea che ci sia qualcuno che non desidera la guarigione di vostro padre. Forse vostro padre ne ha vedute troppe dalla sua caverna nella roccia; ma io credo piuttosto che si tratti di qualche cosa di più antico, che risalga all'epoca in cui egli era ancora un essere normale. Non mi domandate chi ha avvelenato il dolce, perché non ho il diritto di dirvelo. Inoltre non ho ancora le prove necessarie per arrestarlo... Quando ero un giovane ufficiale, non mi veniva mai l'idea di posare da gentiluomo né di prender gelati.

La transizione da un argomento a un altro era stata così improvvisa, che Elfa non credeva alle sue orecchie. Jim, più abituato agli strani modi dell'investigatore, cercò di scoprire ciò che aveva motivato l'ultima riflessione di Super.

Seguì lo sguardo del soprintendente e scorse subito un viso familiare a un tavolino della terrazza. — Lattimer era con voi? — domandò.

Super scosse la testa. — Prende un gelato! — disse amaramente. — Come una signorina! Ai miei tempi, un sergente di polizia beveva un virile gotto di birra.

— Vi ha visto? — domandò Jim abbassando la voce.

— Potete scommettere di sì. Quel Lattimer vede tutto. È simile a un ragno che possiede, a quanto dicono, quaranta milioni di occhi... o quattro milioni, non lo so esattamente. Cardew potrebbe dircelo.

Se Lattimer aveva visto il suo capo, non lo dimostrava affatto. Era alle prese con il suo gelato e non parve affatto imbarazzato, quando Super andò a sedersi di fronte a lui. Osservando i due poliziotti, Jim capì che il soprintendente era di un umore particolarmente acido, poiché, quando tornò verso di loro, Lattimer si affrettò a pagare il gelato e a scomparire.

— Gli avevo formalmente raccomandato di restare in ufficio — spiegò Super — e me lo incontro qui, a fare la signorina del gran mondo. E ora vi lascio. Ho la motocicletta qui vicino, in Bayswater Road.

Il poliziotto s'inchinò rapidamente davanti alla ragazza e se ne andò. Dal punto dove erano seduti, Elfa e Jim osservarono Super allontanarsi, e furono sorpresi di vedere che era seguito a rispettosa distanza da Lattimer.

— Mi domando che cosa può fare qui Lattimer — disse Jim. — Super ha detto di averlo rimandato all'ufficio, ed egli non ha affatto l'aria di volergli ubbidire.

Si trattennero ancora una mezz'ora parlando di una cosa e l'altra, poi si diressero verso l'automobile. Jim stava per salire, quando fu chiamato per nome:

— Permettete, signor Ferraby — disse una voce.

Si voltò e i suoi occhi videro un volto che non gli era affatto sconosciuto. Era quello di un uomo dalle scarpe rotte, dal cappello di paglia sventrato.

— Mi riconoscete, signore? Sullivan. Sono il gentiluomo che avete fatto assolvere a Old Bailey...

— Perbacco! — fece Jim sottovoce. — Non siete in prigione?

— No, signore — rispose l'uomo che non parve troppo stupito da quell'accoglienza. — Potreste darmi qualche cosa? È una settimana che dormo per la strada.

Jim, poco sensibile a quel genere di richieste, cercò con gli occhi un poliziotto, ma non ne vide alcuno. L'uomo si era probabilmente assicurato di quel particolare prima di lui. Il giovane vide un sorriso tremare sulle labbra di Elfa e si voltò verso di lei. — Ecco il povero diavolo del quale parlavate un giorno, Elfa; ve ne ricordate?

In quel momento, scorse con sollievo, a breve distanza, un poliziotto a cavallo che si avvicinava. Anche Sullivan lo vide. — Se mi deste solamente un paio di scellini — insisté rapidamente — mi fareste un grosso favore. Non ho guadagnato più nulla dopo lo scellino che mi hanno dato ieri sera per portare una torta in città.

Arrivava il poliziotto e Sullivan stava per fuggire, quando Ferraby lo afferrò energicamente per un braccio.

— Un momento, amico. Che cos'è questa storia della torta? Chi ve l'ha data?

— Un tipo che non avevo mai visto prima. Ero dalla parte dell'Embankment, quando è venuto a parlarmi e a domandarmi se volevo guadagnare uno scellino per consegnare un pacchetto.

— Lo avete visto in viso? — domandò Jim eccitato.

Sullivan scosse la testa. Frattanto, il poliziotto era arrivato all'altezza del piccolo gruppo e squadrava il vagabondo con severità. Jim si presentò a lui, lo mise al corrente della faccenda della torta ed espresse il suo desiderio di fare degli accertamenti in merito alla persona di Sullivan.

— Sì, signore, abbiamo ricevuto già istruzioni a questo proposito al commissariato e stavamo cercando l'individuo che aveva fatto la commissione — dichiarò il poliziotto.

Poi apostrofò Sullivan: — Cammina, presto! Vieni a fare un giretto con me e se tenti di resistere ti uccido. Capito? Avanti!

La stessa sera, Super interrogava il vagabondo, le cui spiegazioni non erano affatto soddisfacenti. Prima di tutto, egli dichiarava di non aver visto il viso della persona che gli aveva consegnato il dolce e d'altronde non avrebbe saputo descriverlo altrimenti.

— Parlava in modo autoritario, signor Super, e da principio credetti che si trattasse di un poliziotto.

— Sì, capisco che cosa volete dire — approvò l'investigatore. — Pareva uno della polizia, eh?

— Sì, a giudicare dalla maniera con la quale mi ha dato i suoi ordini.

— Be', il signor Ferraby mi ha detto che desideravate dormire al coperto, non è vero?

— Infatti, signor Super.

— Benissimo. Per questa sera avrete un letto gratuito.

Quindi, voltandosi verso il poliziotto che gli aveva condotto il vagabondo:

— Ficcatelo in gattabuia e tenetecelo finché non crepi — ordinò accompagnando le sue parole con un gesto da gran signore.

22. Cloroformio

Gordon Cardew era ancora a letto, studiando con un ardente interesse uno dei numerosi volumi del trattato di Mantegazza sulla fisiognomica che teneva sulle ginocchia. La sua mente andava dalle teorie del celebre antropologo all'inchiesta sulla morte di Hannah Shaw, sospesa da qualche giorno, ma che stava per essere ripresa, quando una domestica gli portò la prima colazione posandola su un tavolinetto a capo del letto.

— C'è il signor Minter, signore.

— Minter? Ma che ora è?

— Le sette e mezzo, signore.

— Che cosa può volere a quest'ora? Ditegli che fra cinque minuti sono da lui.

Indossata una veste da camera e messe le pantofole, bevve una tazza di tè e scese la scala. Super lo aspettava, seduto. — Ho arrestato un tipo che si chiama Sullivan — cominciò immediatamente Super. — Non credo che ve lo ricordiate. È quello che cercò di rubare a Elson...

— Me ne ricordo. È l'uomo che Ferraby fece assolvere?

— Esattamente. È stato fermato questa notte e io sono molto seccato, signor Cardew. Non credevo di dover venire a consigliarmi con voi, perché, francamente, non credo che l'antropologia abbia nulla a che vedere con questo affare. Ma forse vi ricorderete dell'ammirazione che provai per la vostra teoria sull'assassinio della signorina Shaw. Allora ho pensato che un uomo che era capace di analizzare certi avvenimenti con una simile perspicacia, sarebbe stato più capace di me, che in certi casi sono una bestia, di interrogare quel vagabondo il quale, ne sono persuaso, la sa più lunga di quanto non sembri.

— Sta bene. Che dovrei fare, esattamente? Far subire a quell'uomo un interrogatorio? Ma perché non vi rivolgete a Ferraby, che è della partita?

— Ferraby chiese pubblicamente l'applicazione delle leggi contro Sullivan ma non l'ottenne — spiegò Super ironicamente. — Insomma io non vorrei insistere. L'idea di chiedere il vostro concorso in quest circostanza m'era venuta la notte scorsa. Strano che le idee vengano certe ore...

— Infatti! — esclamò Cardew. — Se ve ne ricordate, fu proprio d notte, esattamente alle due del mattino, che mi venne l'idea della mi teoria sul delitto.

— Non ricordo esattamente l'ora, ma ricordo che l'idea vi era venut di notte.

Cardew restò in silenzio per qualche minuto, riflettendo. — Benissimo — disse finalmente — siamo intesi; interrogherò il vostro uomo; ma ricordatevi che io non so niente dei metodi della polizia giudiziaria e che inoltr non ho la minima esperienza di queste cose, che non ho mai fatto.

Super non tentò affatto di dissimulare la sua soddisfazione. — Non v nascondo — dichiarò — che ero molto seccato a proposito di quel tipo C'è gente che s'immagina che io non mi abbasserei mai a chiedere il parere di qualcuno, ma s'inganna.

— Ditemi dunque di che cosa è accusato quel Sullivan e che cosa volete fargli confessare.

— Tentato assassinio. Quel vagabondo dichiara che un uomo incontrato sul Thames Embankment lo incaricò di portare un pacchetto a una clinica di Weymouth Street. Ora, quel pacchetto conteneva una torta di ciliege... all'aconitina. Sullivan sostiene di non conoscere l'uomo in questione e io sono certo che mente. Ma non riesco a farlo parlare.

Cardew era visibilmente indignato. — Un... dolce... avvelenato! — esclamò. — In pieno ventesimo secolo! All'apogeo della civiltà! Ma. ne siete sicuro, Minter? Non vi prendete gioco di me?

— Non che io sia capace di farlo — assicurò Super — ma credete pur che in questo caso preferirei proprio farmi gioco di voi.

Ora Cardew, col mento fra le mani, rifletteva profondamente. — una cosa straordinaria — mormorò come se parlasse a se stesso. — Nel cuore del... della... del progresso...

— ... e della cultura — suggerì l'incorreggibile poliziotto.

— E allora siamo intesi. Vedrò quell'uomo e farò tutto quanto sta in me. Credete che esista qualche rapporto tra quel Sullivan e l'assassinio della mia povera Hannah?

— Ne sono sicuro.

Di ritorno al suo ufficio, Super andò a parlare con Sullivan, il quale sonnecchiava tranquillamente. — È arrivata la vostra ultima ora, ragazzo mio — gli annunciò. — Coraggio.

Sullivan si sedette sulla tavola che costituiva il suo letto e si stropicciò gli occhi. — Che ora è — sbadigliò.

— L'ora non importa, vagabondo, e meno v'importerà fra poco. Un grande investigatore verrà a interrogarvi. Sarà inutile mentirgli, perché è un uomo dottissimo e la psicologia non ha segreti per lui. Vedrà chiaro nel vostro cupo cuore come in pieno giorno. Riuscirà a farvi dire chi era l'uomo dell'Embankment. A lui non potrete nascondere la verità. A fra poco.

Super lasciò Sullivan. Nello stesso momento, la vettura di Cardew si fermava davanti all'edificio e l'autista saltava a terra. Attraversò il marciapiede correndo.

— Soprintendente, volete venire immediatamente? Il signor Cardew è stato cloroformizzato.

— Perché non avete telefonato? — gridò Super furioso, precipitandosi verso la vettura.

— Perché hanno tagliato i fili — disse l'autista.

L'investigatore fece una smorfia che mise in mostra tutti i suoi denti.

— Quel Big-Foot pensa a tutto! — disse.

— Tornato nella mia camera, mi distesi sul letto per pensare a quello che mi avevate chiesto di fare — raccontò Cardew. Egli era livido e, difatti, era stato malissimo. Riposava ora tutto disteso su un divano e la stanza era ancora piena dell'odore dolce del cloroformio.

— Ho dormito male la notte scorsa e non ricordo niente fino al momento in cui mi sono sentito scuotere dal mio cameriere, il quale, entrato in camera mia per caso, mi ha visto disteso sul letto col viso coperto da un grosso tampone di filaccia. Il mio aggressore ha dovuto sentirlo avvicinare, poiché la finestra è stata trovata spalancata.

Super andò verso la finestra e guardò fuori. In basso, in un'aiuola di fiori, vide brillare un oggetto. Scese in giardino e raccattò una boccetta spezzata. L'etichetta portava la scritta: "Cloroformio B.P.". Ne sfuggivano ancora vapori che distruggevano istantaneamente i fiori vicini.

Alzando gli occhi, osservò la finestra, dalla quale evidentemente era facile scendere o anche saltare. L'aiuola non portava tracce di scarpe, ma non doveva essere stato difficile saltare più lontano, sulla ghiaia del vialetto. La boccetta proveniva da un grossista di prodotti farmaceutici dove l'acquirente era certamente sconosciuto. In quanto al filo del telefono, teso su una parete della villa, ad altezza d'uomo, era stato tagliato di recente.

— È la stessa pinza che è servita in casa mia — mormorò Super.

Quando tornò nella camera, Cardew, che aveva recuperato un po' d
forza, era seduto su una poltrona.

— Non avevate visto nessuno in giardino? Dov'era il vostro giardi
niere?

— Stava sistemando alcune piante di fiori nei vasi, dietro casa. H
sentito, sì, qualche cosa che scricchiolava sulla ghiaia, ma non vi ho fat
to attenzione.

— La finestra era aperta?

— A metà, e mantenuta in quella posizione da un gancio che si potev
benissimo staccare di fuori. Quando entrò il mio cameriere era spalan
cata.

L'investigatore esaminò il tampone di filaccia. Per quanto il cloro
formio sia estremamente volatile, il tampone ne era ancora umido
Quindi, prese il guanciale sul quale Cardew aveva posato la testa e pc
guardò sotto il letto. Nonostante il suo stato di debolezza, l'ex-notaio s
mise a ridere.

— No — disse Super — non spero di trovare qualcuno, bensì... qual
che cosa. Non avete le mani graffiate?

— Le mani graffiate?

Super esaminò minuziosamente le mani di Cardew, dito per dito
molto da vicino. L'investigatore aveva una vista straordinaria e molti
compreso Lattimer, consideravano come una posa quella sua manier
di avvicinare gli occhi fino quasi a toccare l'oggetto che gli interessava

— Pensavo che vi avessero graffiato le mani. Ciò contraddice un
delle mie teorie — disse un po' deluso. — Ma a parte tutto ciò, signo
Cardew, pregherò la polizia di proteggervi.

— Non fate niente — protestò l'ex-notaio. — Sono perfettamente ca
pace di difendermi da solo.

— Me ne sono accorto — si limitò a celiare Super, sottovoce.

23. Il mandato d'arresto

Il compito che da principio era stato affidato a Cardew, toccò a Ji
Ferraby. — Non pensavo di dover ricorrere a voi — gli disse Super –
ma "l'uomo che pensa a tutto", ossia Big-Foot, ha attentato alla vit
del più grande antropologo dei tempi moderni nel momento stesso i
cui quest'ultimo doveva interrogare Sullivan.

— Chi? Cardew? Che cosa gli è successo? — domandò con foga Jin

Super si mise a ridere, la qual cosa gli succedeva così raramente ch
Jim ne rimase sbalordito.

— Big-Foot gliel'ha fatta, al poliziotto dilettante! — dichiarò Supe
— Quel tipo ha due piedi enormi, ma ha anche una testa. Doveva gi
trovarsi sul luogo quando io conversavo con Cardew a proposito di Su
livan. L'idea che qualche cosa sarebbe successa al nostro teorico di cr

minologia, m'era già venuta la settimana scorsa. Forse avrei dovuto farlo vigilare da qualche poliziotto in borghese, ma chi avrebbe mai pensato che qualcuno avrebbe attaccato un tipo che è in corrispondenza con Lombrosto, Lambrosso... che so io? Il nome poco importa.

Jim guardava l'investigatore con la coda dell'occhio, domandandosi una volta di più se parlasse sul serio o per scherzo. — Ditemi che cosa è successo — domandò ancora e Super gli raccontò i particolari degli avvenimenti che avevano messo a soqquadro Barley Stack una volta di più.

Dopo di che, per l'insistenza del vecchio investigatore, si recò nella cella occupata da Sullivan e per un'ora tormentò il vagabondo, ma senza il minimo successo. — Lo sapevo che non sareste arrivato a nulla — concluse Super quando l'altro gli riferì i risultati dell'interrogatorio.

— Sullivan dice quello che sa — replicò Jim.

L'investigatore osservò Ferraby tra le palpebre socchiuse. — Secondo voi — corresse. — Peccato, è un vero peccato. Ma... ve ne andate?

— Sì, me ne vado e mi domando ancora per che cosa mi abbiate fatto venire.

Il poliziotto guardò l'ora; erano le quattro meno due minuti. — Ho lottato contro me stesso tutto questo pomeriggio — disse. — Una piccola battaglia fra la giustizia e l'ambizione personale. E la giustizia ha vinto.

Aprì il suo scrittorio e ne tolse un foglio di carta azzurra sulla quale scrisse qualche parola. Jim si domandò se Super non avesse deciso di dare le sue dimissioni.

— Un momento, signor Ferraby. Voi siete procuratore e per conseguenza siete autorizzato a firmare questo foglio.

Jim guardò lo scritto che l'altro gli presentava. Era un mandato di arresto contro Elson. Motivo: possesso illegale di beni.

— Volete proprio che firmi?

— Sì, signore.

— Ma: "possesso illegale di beni"... quali beni?

— Lo saprò quando lo avrò messo in gattabuia — disse l'investigatore. — Corro un rischio evidente, ma sono sicuro di me. Firmatemi questo mandato, signor Ferraby.

Jim esitò un secondo, prese una penna e firmò in calce al mandato.

— Bene — disse Super. — La giustizia ha vinto. Venite con me e vedrete qualche cosa di interessante.

Una domestica li invitò ad aspettare nel vestibolo mentre andava a cercare il suo padrone. La sentirono bussare a una porta dalla quale tornò subito.

— Il signor Elson non è in casa — disse. — Deve essere in giardino. Se volete aspettarmi qui...

— Inutile — disse Super. — Conosco il giardino e troveremo il signor Elson da noi.

Il proprietario di Hill Brow non era neanche in giardino. La domestica, che aveva aspettato il ritorno dei due uomini, suggerì che forse si trovava nella "giungla". Si chiamava così un vasto terreno incolto attiguo a Hill Brow.

Si diressero verso la giungla in questione. — Ho una gran paura che sia fuggito e ciò mi seccherebbe assai — brontolò Super.

A un tratto, mentre avanzavano penosamente in mezzo a uno spesso macchione, Jim si fermò. — Sssst! — fece.

Da qualche parte della giungla veniva il suono ripetuto di una scure contro un tronco.

— Sta abbattendo un albero — disse Ferraby, ma l'investigatore non rispose. Ripresero la loro marcia. Dopo qualche minuto, Super si fermò immobile. — Ebbene? — domandò Jim — Non si può andare avanti?

Guardò. Per terra c'era un uomo disteso in una pozza di sangue. Era l'americano.

— Tre pallottole — osservò Super tranquillamente. — Avrei dovuto arrestarvi questa mattina, Elson, e salvarvi la vita.

24. Il testamento di Cardew

— Buon Dio! — esclamò Ferraby terrorizzato. — Ma chi ha ucciso Elson?

— Chi? — Super, seduto sulle calcagna, parlava a voce così bassa che Jim dovette tendere l'orecchio per afferrare le sue parole. — Chi? Colui che ha cloroformizzato Cardew, che ha ucciso Hannah, che ha avvelenato la torta. Lo stesso cervello, la stessa mano, gli stessi motivi. In un certo modo, ammiro quest'uomo; un uomo che tutto prevede, che pensa a tutto... ma non restate in piedi, signor Ferraby. Bisogna che uno di noi due almeno, nell'interesse della giustizia, esca di qui vivo.

Jim rabbrividì e si rannicchiò accanto all'investigatore. — Quello che prendevate per il rumore di una scure contro un albero — proseguì Super — erano i colpi di una rivoltella munita di silenziatore.

Tacque; poi, bruscamente: — Di qui! Presto! E abbassate la testa — gridò andando a rifugiarsi sotto il boschetto che avevano attraversato pochi minuti prima.

Alcuni proiettili passarono sibilando vicino ai due uomini. Jim li sentì attraversare le foglie e spezzare i rami. Si allontanarono correndo e raggiunsero il giardino. Leggermente affannati, si fermarono.

— Piano, ora — disse Super. — In questo momento non ci segue, fugge. Presto, al telefono!

Arrivarono quasi subito, chiamati dall'investigatore, un'ambulanza e una squadra di poliziotti motociclisti.

Prima di ripartire per Londra, Jim passò da Cardew, che se ne stava al suo tavolino pallido e tremante. Quello che Jim doveva ricordargli non era fatto per calmarlo.

— Tragedia su tragedia — gridò con una voce roca. — È terribile, Fer raby! Chi avrebbe mai pensato che quel povero Elson... E mi dite che stava per essere arrestato? E come mai? Non capisco niente. La mia testa non mi dice più il vero. Sono completamente sconvolto da questo nuovo orrore.

Uscendo di casa, Jim scorse Lattimer seduto sotto un gran gelso. Stava sonnecchiando, tanto che quando Ferraby lo chiamò, si scosse con un balzo.

— Ah, siete voi? Temevo che fosse Super. Sono tanto stanco.

Dal punto dov'era seduto il sergente, osservò Jim, si vedevano benissimo la porta e le finestre di Barley Stack.

— Credete veramente che Cardew sia in pericolo? — domandò Ferraby.

Lattimer alzò le spalle. — Sì, poiché il capo mi ha messo qui per fare la guardia — rispose e sbadigliò. — Mi sono coricato tardissimo la notte scorsa e questa sera vorrei andare a letto presto.

Era assai tardi, quando Jim si recò da Elfa, che trovò infinitamente stanca.

— Papà non sarà operato prima della settimana prossima — disse lei. — Cardew mi ha telefonato stamattina per pregarmi di andare a Barley Stack. Ha un lavoro urgentissimo da fare e dice di non poter lasciare la villa.

— Non ci andrete — ordinò perentoriamente Jim. — Anche lui è protetto, vigilato dalla polizia e io non posso permettervi di correre rischi.

Non ebbe bisogno di partecipare alla ragazza la morte di Elson; ella aveva già letto la notizia nei giornali della sera. — Lo conoscevo poco, — disse. — L'ho incontrato soltanto a Barley Stack. Oh, Jim, come sono stanca!

— Cardew può aspettare — disse Jim risolutamente.

Ma evidentemente l'ex notaio non poteva aspettare, poiché in quel preciso momento la suoneria del telefono squillò furiosamente. Era ancora lui.

Jim prese l'apparecchio dalle mani di Elfa. — State parlando con Ferraby — disse. — Ho accompagnato or ora la signorina Leigh a casa ed è troppo stanca per venire a Barley Stack.

— Bisogna che venga — insisté la voce di Cardew. — Venite anche voi, se credete. Mi sentirò certamente molto più sicuro se avrò in casa qualche viso conosciuto.

— Ma non potete aspettare?

— No, no, ve ne scongiuro. Si tratta di cosa estremamente importante. Bisogna assolutamene che i miei affari siano in regola al più presto possibile.

— Vi credete esposto a qualche grave pericolo?

— Certamente — rispose la voce con forza. — E voglio che tutto ciò sia fatto subito, affinché la signorina Leigh possa ripartire prima che succeda qualche cosa di grave. Super mi ha proibito in modo assoluto di lasciare Barley Stack. Non potete venire con lei?

Di fronte a un'insistenza così categorica, Jim, coprendo il ricevitor con la mano, espose la situazione alla ragazza.

— È proprio in questo stato? — domandò ella sorpresa. — Non avr mai creduto che la paura potesse influire in tal modo su di lui — titub un poco e poi: — Forse sarà meglio ch'io vada. Mi accompagnerete?

La prospettiva di passare una notte sotto lo stesso tetto con Elfa quella del percorso in vettura solo con lei avevano interamente cambia to le disposizioni di Jim. Pure, non doveva per puro egoismo incorag giare la ragazza a correre un rischio, per quanto leggero, e cercò ancor di dissuaderla. Ma non per niente Elfa Leigh era donna e il suo istinto l fece indovinare il desiderio nascosto di Jim.

— Ditegli che andrò — decise lei. — Un po' d'aria fresca mi farà ben

Jim trasmise la risposta e riattaccò il ricevitore. — Se volete scender e aspettarmi in vettura, faccio la valigetta e vengo — disse Elfa. No aveva ancora cenato, ma volle lo stesso partire subito.

— Cardew cena molto tardi e probabilmente ci avrà aspettato — diss

Quando entrarono nel suo studio, Cardew passeggiava in su e in gi con le mani incrociate dietro le spalle. La ragazza fu colpita dal cambia mento che l'ex notaio aveva fatto da quando non lo aveva più visto. Er invecchiato di dieci anni. Egli notò lo sguardo compassionevole di Elf e le disse stringendole calorosamente la mano: — Come siete stata bu na a venire! Vi aspettavo per mangiare. Spero che non avrete ancora c nato. Mi sentirò un po' meglio, spero, quando avrò preso qualche c sa... Non ricordo neanche più quando ho mangiato l'ultima volta.

Passarono nella sala da pranzo. Il cappuccio dorato di una bottigli di champagne brillava in un vaso nichelato pieno zeppo di ghiaccio. vino spumante rese subito un po' di colore al volto dell'ex-notaio ch generalmente non beveva mai vino.

— L'orribile fine di Elson e quel senso di disagio che si prova quand si è vigilati dalla polizia, mi hanno completamente rovinato il sistem nervoso. Eppure, la mia infernale passione per quelle che Minter chi ma le teorie e le deduzioni non mi lascia un momento di respiro.

Spiegò più tardi perché aveva pregato Elfa di venire. — Nei miei m menti di calma, non penso di essere esposto a grandi pericoli, ma... s no stato notaio, lo sapete. Mi è rimasto qualche cosa, naturalmente, soprattutto quel luogo comune secondo il quale si deve sempre esse pronti a qualsiasi eventualità. Questa mattina m'ha improvvisamen colpito il pensiero che non ho ancora fatto testamento e che non ho a cora messo in ordine tutte le mie carte. Allora ho buttato giù le mie ult me volontà. Appena la signorina Leigh ne avrà fatto due copie, io pregherò, Ferraby, di leggerle e di firmarle in qualità di testimone. U mio domestico sarà il secondo teste, poiché voi, signorina, non potre servirmi da testimone, dato che mi sono preso la libertà di lasciarvi u somma abbastanza rilevante.

E siccome Elfa stava per protestare, alzò una mano. — Sono vecchi figliuola mia; non mi sono mai sentito tanto vecchio quanto la notte scorsa... e poi, non ho relazioni, pochissimi amici e pochissime persone verso le quali debba provare un po' di gratitudine. Vi dirò di più: lascio la mia biblioteca al soprintendente Minter.

Si mise a ridere per la prima volta dopo lungo tempo e Jim non poté fare a meno di condividere la sua ilarità.

— Aggiungo — proseguì Cardew — che gli lascio anche una somma che gli permetterà sia di costruirsi una casetta che possa contenere la biblioteca, sia di comprarsi una motocicletta che non annunci il Giudizio di Dio tutte le volte che passa per la strada.

Dopo pranzo, la ragazza seguì l'ex notaio nel suo studio e Jim se ne andò solo a fumare una sigaretta in giardino. Non aveva fatto tre passi che incontrò l'immancabile agente di servizio. Non era il sergente Lattimer ma un investigatore che egli aveva già visto nell'ufficio di Super. Chiacchierarono un po' della bellezza della notte e delle prossime elezioni. Mentre percorrevano a passi lenti il viale centrale del giardino, Ferraby notò che le tende dello studio di Cardew erano alzate e che egli vedeva perfettamente l'ex-notaio e la ragazza, seduti uno di fronte all'altro; l'uno dettava, l'altra batteva a macchina.

— Non è pericoloso? — domandò nervosamente Jim. — Sono troppo esposti.

— Potreste consigliare loro di abbassare le tende? — suggerì il poliziotto.

Jim, non volendo disturbare di persona l'ex-notaio, gli mandò una domestica ed ebbe la soddisfazione, pochi momenti dopo, di vedere le tende abbassate.

— Mi stupisce che il signor Cardew non abbia pensato a prendere questa precauzione — osservò il sergente. — Ho sentito dire che era un poliziotto dilettante.

Seguì una pausa nel profondo silenzio della notte.

— Non vorreste rincasare, ora? — domandò rispettosamente il poliziotto.

Jim, sorpreso, lo guardò.

— Il mio turno di guardia sta per finire — spiegò l'uomo — e Super non sarebbe troppo contento se sapesse che sto chiacchierando con voi durante le ore di servizio.

Jim rincasò. Andò nella camera che gli era stata assegnata e disfece la sua valigetta. Sistemati i vestiti e gli oggetti da toeletta pensò che il cambio doveva essere già stato effettuato e ridiscese in giardino. Il poliziotto al quale aveva parlato era sempre lì. Jim se ne stupì e maggiormente si meravigliò constatando che le tende dello studio erano di nuovo alzate.

Interrogato in proposito, il poliziotto rispose: — Super ha detto che era molto meglio vedere l'interno dello studio...

— È passato di qui Minter?

— Si è trattenuto un minuto soltanto — precisò l'altro.

Accettata una sigaretta offertagli da Jim, egli cominciò a raccontare una storia complicatissima di pensioni, di riposi polizieschi e d'iniquità d'ogni genere.

Era mezzanotte e tre quarti quando la ragazza scese e invitò Ferraby a seguirla nello studio.

— Spero che il lavoro sia finito — disse sottovoce — Un ben triste lavoro, d'altronde. Sapete, Jim? Cardew mi lascia una somma enorme! Non sembra possibile, vero? Ma egli rifiuta di cambiare una sola lettera del suo testamento.

Cardew sonò per il suo cameriere. Quando questi ebbe firmato il testamento e si fu ritirato, l'ex notaio chiamò Jim presso di sé. — Vi prego di custodirmi... questo — e gli porse il testamento — o almeno di custodirmelo fino a domattina. Lo manderò subito alla mia banca. E sono proprio contento di aver finito!

Era più calmo, più simile a se stesso. — E ora, signorina, credo che avrete un gran bisogno di dormire. La cameriera vi condurrà nella vostra camera. Vi ho assegnato quella che occupavate un tempo.

Lei era felice di allontanarsi. Chiuse la porta a chiave e si spogliò subito. Dieci minuti dopo essersi messa a letto, dormiva di un sonno profondo.

Lattimer, dal fondo del giardino, vide la luce spegnersi nella camera della ragazza.

25. Il nodo scorsoio

Tap, tap, tap... Elfa sentì vagamente un suono lontano, sordo, e fec
un movimento. Tap, tap, tap... Doveva essere l'orlo di una tenda sbat
tuta da un colpo di vento contro un vetro, concluse mezzo addormenta
ta. Tap, tap, tap... Sveglia completamente, si sollevò sul letto e si ap
poggiò su un gomito. Il rumore era venuto dalla finestra. Era accidenta
le? La sua regolarità dimostrava il contrario. La notte era perfettamen
te tranquilla e non tirava vento. Ella si alzò, andò verso la finestra, n
scostò le pesanti tendine. Le imposte erano aperte, come ella le aveva la
sciate. Fuori, la notte nera, impenetrabile. Aguzzando l'udito, intes
un rumore di ghiaia calpestata e il suo cuore batté più forte. Ma poi s
rammentò che la casa era sorvegliata.

— Siete voi, signorina Leigh? — sussurrò una voce.

— Sì. Avete bussato alla mia finestra?

— No, signorina — rispose debolmente la voce. — Avete sentito bus
sare? Forse avete sognato.

Lei tornò a letto, ma capì che ormai non avrebbe più dormito. Tap
tap, tap... Si rialzò, scostò piano le tende e si mise in ascolto. Niente
Niente altro che un profondo silenzio. Piano piano, si affacciò alla fine
stra, cercando di penetrare con lo sguardo l'oscurità della notte.

Non vide nessuno, ma scorse in lontananza, verso gli alberi, una luce quasi impercettibile e le parve che fosse la sigaretta di un agente. Chi aveva dunque bussato alla finestra? Ella si sporse di più e in quel preciso istante qualche cosa di ruvido e di flessibile le rasentò la testa. Prima che avesse capito di che cosa si trattava, un nodo scorsoio le stringeva il collo. Lo afferrò con le due mani, cercando di staccarlo, ma la corda si tese e sollevò la ragazza da terra. Si afferrò al davanzale della finestra e fece uno sforzo disperato. La corda, infine, cedette. Improvvisamente il giardino s'illuminò e un potente fascio di luce inondò Elfa, mentre si allontanava dalla finestra. Ansimante, spossata, cadde in terra accanto al letto. La corda le circondava ancora il collo.

Qualcuno penetrò nella sua camera. Elfa aprì gli occhi; vide, chino su di lei, il viso di un uomo che non conosceva. Questi la stese sul letto, tornò alla finestra e fischiò.

Jim aveva sentito. Uscì immediatamente dalla sua camera e si diresse verso quella della ragazza. Aprì la porta e riconobbe il poliziotto col quale aveva parlato in giardino. Il poliziotto stava bagnando la fronte d'Elfa con un asciugamano imbevuto d'acqua fredda.

— Occupatevi della ragazza — disse seccamente l'uomo, che porse l'asciugamano a Ferraby e uscì dalla camera.

Dal giardino si alzò una voce.

— Che cosa succede? — Era Super.

Elfa era tornata in sé. Jim, dalla finestra, informò l'investigatore di quanto era successo. Pochi secondi più tardi, Super era accanto a Elfa.

— Lasciatemi qui e scendete — ordinò.

Per le scale, Jim incontrò Cardew che usciva dalla sua camera con una rivoltella in mano. Non si preoccupò di raccontargli ciò che era successo ma lo condusse presso Elfa. Nel frattempo, Elfa, seduta sul letto, si era avvolta nella sua veste da camera. Aveva la gola indolenzita e si sentiva ancora in preda alle vertigini, ciò nonostante riuscì a raccontare quanto le era successo.

Finito il racconto, tornò il poliziotto che per primo era entrato nella sua camera. Egli era andato al piano superiore e arrivava con una canna di bambù di media lunghezza. — La camera qui sopra comunica col tetto per mezzo di un abbaino. Non ho trovato altro che questa canna, con la quale, certamente, hanno dovuto bussare alla finestra.

— Ha bussato alla finestra — mormorava Super — ella si è affacciata ed egli ha lanciato il laccio; subito dopo è fuggito dall'abbaino. Vi ripeto che quel tipo non trascura niente! Saliamo sul tetto. Avete una rivoltella? Se lo scorgete, sparate senz'altro e... non vi rompete il collo, sarebbe inutile, tanto più che, secondo me, quando sarete sul tetto, l'altro sarà già fuggito da un pezzo.

Super raccattò la corda usata dall'ignoto strangolatore e la mostrò a Cardew. — La conoscete? — domandò. Era una specie di cordone di seta rossa, lungo circa tre metri. — Non l'ho mai visto — disse. — Sembra un vecchio cordone da campanello. Qui abbiamo soltanto campanelli elettrici.

Esaminava la corda con cura. — È molto vecchia — osservò.

— Pare anche a me — disse Super. — È roba che si trova dai robivecchi. Come vi sentite, signorina?

Elfa tentò di sorridere.

— Noi adesso usciamo per lasciarvi vestire. Credo che farete meglio a scendere. Sono quasi le tre e alzarsi di buon'ora è una cosa salutare.

Frattanto tornava il poliziotto inviato sul tetto.

— Niente — disse seccamente.

— Dov'è Lattimer? — domandò Super.

— In giardino; in fondo.

Il vecchio investigatore tacque e poco dopo percorreva il giardino in compagnia di Ferraby. A un tratto, un usignuolo cantò per la seconda volta, vicino...

— Sono un vero usignuolo, che ne dite, Jim? — disse Super, che aveva imitato le modulazioni pure e dolci dell'usignuolo. Sono sempre stato abilissimo a imitare il canto degli uccelli, ma l'usignuolo è la mia specialità... l'usignuolo e i polli.

E, con meraviglia di Jim, fece una straordinaria imitazione di una gallina coi suoi pulcini.

— Siete voi, Lattimer? — chiamò Super sentendo che qualcuno si avvicinava.

— Sì, capo.

Egli avanzò, illuminato dalle lampade del vestibolo. Il suo vestito era pieno di polvere e i calzoni strappati al ginocchio. Jim osservò che aveva anche le mani graffiate.

— Che cosa vi è successo, Lattimer?

— Sono caduto... Andavo troppo lesto.

— Avete visto qualcuno? — domandò Super.

— No. Ho sentito che qualcosa succedeva, ma sapevo che c'eravate voi. Sono rimasto fuori perché ho pensato che qualcuno avrebbe potuto tentare di fuggire.

Super brontolò qualche ordine e tornò, seguito da Jim, nello studio dove Elfa stava preparando alcuni ponch all'acquavite. L'investigatore prese il suo dalle mani della ragazza e andò a sedersi su un divano.

— Ho qualche cosa da dirvi, bella signorina — le annunciò — qualche cosa che renderà un po' di colorito alle vostre guance.

— A me? — fece ella sorpresa. — Che cosa volete dire, Super?

— L'operazione è riuscita magnificamente.

Lei si alzò bruscamente, tutta palpitante. — L'operazione? Ma era per la settimana prossima.

— Era per questa sera — rispose tranquillamente Super. — Mi ero messo d'accordo coi medici perché non vi dicessero niente fino a operazione avvenuta. Ma credevo che aveste indovinato tutto poiché avete chiesto alla direttrice della clinica di consegnare a vostro padre, appena fosse stato in condizioni di leggere, una lettera che le avete affidato.

— Io? — esclamò ella. — Non ho scritto nessuna lettera e non sapevo affatto che mio padre sarebbe stato operato questa sera.

Super osservava la parete con gli occhi semichiusi. — Veramente? — disse.

Staccò il ricevitore del telefono e compose un numero. — ... Pronto?... È a letto? Ebbene, ditele che il soprintendente Super la desidera al telefono e subito.

Col ricevitore all'orecchio, aspettò. — ... Pronto? Siete voi, signorina Moody?... Voi dovete avere una lettera... Sì, quella che la signorina Leigh vi ha affidato perché fosse consegnata a suo padre. Volete aprirla e leggermene il contenuto?

Una pausa. — ... Ho capito, grazie. Tenetela pure voi... Buonasera.

— Ebbene? — domandò Elfa.

— Niente. Uno scherzo. La lettera diceva: *Mille bacini da parte della bimba al suo papà.*

Super non diceva la verità. Il contenuto della lettera era il seguente: *La vostra figliuola è stata strangolata la notte scorsa.*

— Pensa a tutto, lui! — mormorò Super, facendo schioccare le dita in segno d'ammirazione.

26. Il pranzo d'addio

Cardew aveva preso una decisione. Voleva chiudere Barley Stack, congedare i domestici e affittare una casa a Londra; oppure andare a passare la fine dell'estate all'estero.

— Buona idea — esclamò Super quando lo seppe — e più presto partirete meglio sarà. Anzi, vi consiglio di partire questa stessa notte.

Cardew esitò. — Questa notte no. Dovrei fare i bagagli...

— Posso farvi aiutare dai miei uomini — offrì l'investigatore.

— Per questa notte rimango — decise l'ex notaio dopo aver riflettuto un attimo. — Volete farmi l'onore di pranzare con me?

Super scosse la testa. — Impossibile — rispose. — Questa sera debbo trovarmi con un amico.

— Conducetelo con voi.

Questa volta fu Super che esitò. — Difficile. Non è un uomo di società; eppure io lo ammiro. Non discute mai e non è affatto intelligente, qualità che me lo rendono particolarmente gradevole.

— Soprintendente — disse Cardew — io non vi ho mai domandato che cosa pensate esattamente dei misteriosi assassinii e tentativi di assassinio commessi nel nostro ambiente. Mi permetterò quindi di domandarvelo questa sera. Conducete pure il vostro amico. Anche Ferraby mi ha promesso di venire.

— Anche la signorina Leigh?
— No, ella resta con suo padre. Abbiamo fatto in modo che le dess
ro una camera nella clinica.
L'investigatore si colpì la fronte seccato. — Lo sapevo che avrei d
menticato qualche cosa! — esclamò. — Lattimer doveva venire a pra
zo con noi, col mio amico e con me.
— Conducete anche lui — disse Cardew allegramente. — È un uon
perfettamente educato. E ora io vado a Londra. Volete approfitta
della mia vettura?
— No, mille grazie — rispose Super, e poi, dopo una pausa: — Vi a
compagnerà il poliziotto di guardia.
— Credete proprio che sia necessario?
— Per lo meno è prudente.
— Allora a questa sera.
L'ex-notaio tornò nel suo studio. Per quanto avesse da sbrigare mo
ta corrispondenza, trovò il tempo di telefonare alla clinica. Gli rispo
Elfa.
— Come vi sentite? — domandò.
— Terribilmente stanca — rispose lei. — Stavo riposando sul lett
quando mi avete chiamato. Siete a Londra, signor Cardew?
— Sì, per un'ora. Torno a Barley Stack questa sera. Domani chiu
la casa e vengo a Londra per un giorno o due. Temo che ciò coincide
con la fine della nostra piacevole collaborazione. Per quanto riguarda
vostro stipendio, mi sono preso la libertà di inviarvi un assegno per p
sta. Vi ricordate il furto nel mio ufficio? Non si direbbe che sono passa
anni da allora?
— È stato la settimana scorsa — precisò la ragazza.
— Ho esaminato le mie carte e ora so esattamente quello che mi è st
to rubato e perché. Anche Super sarà del mio parere.
— Perché vi hanno derubato? — domandò curiosamente la ragazz
ma Cardew rifiutò di dargliene spiegazione, dalla qual cosa, tornan
nella sua cameretta, lei dedusse che l'ex-notaio aveva fatto una scoper
importante che si riservava di rivelarle più tardi.
Spedita la corrispondenza, Cardew tornò a Barley Stack. Seduto n
la sua biblioteca, guardò in giardino dalla finestra e vide Lattimer al s
posto, sotto il vecchio gelso. Gli mandò una scatola di sigari e il serge
te, sorridendo, lo ringraziò con un gesto della mano.

L'ora fissata per il pranzo era passata da dieci minuti, quando arri
Super accompagnato da un ometto rosso dall'aspetto goffo e nervos
— Vi presento il mio amico Wells.
Cardew strinse la mano che l'uomo rosso gli porgeva.
— Lattimer, vi presento il signor Wells.
Il sergente avanzò e raggiunse i due uomini.

— E ora — dichiarò Cardew — credo che faremo bene a metterci a tavola. La minestra è servita.

Seguirono l'ex notaio nella sala da pranzo e sedettero nei posti che egli assegnò loro. La minestra, a dire il vero, non era ancora servita, ma la domestica la portò tutta fumante, mentre il cameriere cominciava a distribuire le scodelle. L'uomo dai capelli rossi interrogò Super con uno sguardo inquieto. Ma questi gli indicò subito il suo grosso cucchiaio e si chinò verso di lui: — Questo — gli sussurrò. Poi, riprendendo la sua voce naturale: — Prima di cominciare il nostro pranzo di addio, voglio dirvi chi è il mio amico Wells.

— Confesso che sono abbastanza curioso di saperlo — disse Cardew.

— Alzatevi, signor Wells. Io vi presento il signor Cardew, ex notaio; signor Cardew, vi presento il signor Topper Wells, di professione boia.

Cardew sobbalzò come se fosse stato morso da un serpente. Jim, atterrito, fremeva. — Lattimer, vi presento il signor Wells. Lo conoscevate già? Forse lo incontrerete ancora...

Gli occhi di Super erano fissi sul sergente. — ... e non toccate codesta minestra, Lattimer. Che nessuno la tocchi, perché...

— Che cosa volete dire?... — cominciò Cardew.

— ... perché è avvelenata — concluse Super.

Cardew indietreggiò sulla seggiola, sorpreso e incredulo. — Avvelenata?

— Avvelenata — rispose Super; e di nuovo: — Vi presento Wells, l'uomo che impicca. E...

Con un solo balzo, Cardew aveva raggiunto la porta, che immediatamente richiuse dietro di sé a chiave.

— Alla finestra, svelti! — gridò Super. — Fracassatela con una seggiola. Potete star certi che anche quella è chiusa a chiave!

Una seggiola pesante, lanciata da Lattimer, passò attraverso la finestra, seguita un secondo più tardi dal sergente.

— È fuggito dietro la casa — urlò Super. — Ci sarebbe voluto qualche uomo da quella parte!

Jim correva, ma non sapeva perché né dove doveva andare. Gli girava la testa. Cardew? Impossibile!

Il proprietario di Barley Stack non si trovava in nessun luogo. Super spinse una porta che dava accesso a una stradetta comunicante con la strada. Era l'entrata di servizio, e di lì vide Cardew, o piuttosto la sua testa, che si spostava con rapidità lungo il muro di cinta.

— Motocicletta! — disse l'investigatore. — Quella stessa con la quale poté tornare a Londra, dopo avere ucciso Hannah Shaw, senza attraversare Pawsey. La vostra automobile, Ferraby, subito!

A un tratto, Super volò letteralmente verso la biblioteca e si precipitò al telefono, ma gli bastò mettersi il ricevitore all'orecchio per accorgersi che i fili erano stati tagliati. — Pensa a tutto — mormorò. — Fili tagliati prima del pranzo. Era certo di vederci addormentati prima che cominciassimo a mangiare.

Ferraby arrivava con la sua automobile. Lattimer vi era già sopra. — Non vi fermate! — gridò Super lanciandosi sul predellino, mentre l'auto acquistava velocità.

Rallentarono al primo incrocio di strade. Una pattuglia di poliziotti che vi arrivava in quel momento non aveva visto passare nessun motociclista. Il fuggitivo aveva preso una delle tre strade che partivano da quel crocicchio. La prima conduceva direttamente a Londra da Isleworth; la seconda, dopo avere attraversato Kingston, sboccava in Richmond Park; in quanto alla terza, era una semplice strada locale.

L'automobile di Ferraby fece un mezzo giro e si fermò davanti al posto di polizia. Super aveva istruzioni da dare ai suoi subordinati. — Cardew aveva ordinato un aereo speciale a Croydon per questa sera — spiegò l'investigatore; — ma date le circostanze non se ne potrà servire certamente e tenterà di trovare un rifugio a Londra. È un uomo che vede chiaro e che prevede.

Super uscì e osservò preoccupato l'automobile. — Sì, è a Londra — disse fra sé — ma certamente né al suo appartamento, né al suo ufficio. Deve avere un nascondiglio in qualche parte.

Appena arrivato a Londra, l'investigatore cominciò col raddoppiare il servizio di vigilanza alla clinica di Weymouth Street; quindi passò nell'appartamento dell'ex-notaio. Nessuno c'era stato e neanche all'ufficio di King's Bench Walk.

Un po' più tardi, Super pranzò in compagnia di Jim. — Sì, è proprio Cardew che ha ucciso Hannah Shaw — spiegò l'investigatore. — Lei lo amava e voleva essere sposata. Lui la odiava, ma lei lo teneva in pugno, per via di una lettera terribilmente compromettente che egli aveva scritto anni prima e che lei possedeva. Minacciato, atterrito, spinto agli estremi, egli la sposò il giorno stesso dell'assassinio. Si sposarono a Newbury, sotto il nome di Lynes. Poco importava il nome ad Hannah, purché avesse l'uomo. Ella voleva essere la compagna ufficiale di Cardew e che egli la riconoscesse per tale davanti a testimoni. A questo scopo aveva telegrafato alla signorina Leigh. In quanto all'ex notaio, rientrò in possesso della famosa lettera (era il prezzo del matrimonio), poi assassinò sua moglie. Aveva fatto in modo d'incontrarla la sera stessa. Quando passò da voi e vi disse che cercava qualcuno per accompagnarlo a teatro, sapeva perfettamente che voi avevate già disposto della vostra serata; ma non sapeva come dovevate impiegarla. Quando Hannah e Cardew si recarono a Beach Cottage, nella Ford, egli lasciò sua moglie sul sedile davanti, con non so quale pretesto, e montò di dietro. Si rannicchiò sul piano dell'automobile in modo che i passanti non potessero scorgerlo e che Hannah sembrasse sola nella vettura. Pensava a tutto, come vi ho detto tante volte. Fu lui che scelse il cappello e il mantello ch'ella doveva portare. Appena l'ebbe uccisa, egli indossò questi indumenti, poiché sapeva che Elfa doveva arrivare e temeva d'incontrarla per la strada, tornando indietro.

— Ma infine, perché fece tutto ciò? Era ricco...

— Ricco? No — rispose Super. — Aveva denaro, ma come se lo procurava? Vi racconterò tutta la storia, per quanto ce ne sia una parte di cui indovino più di quanto non sappia. Ma scommetto che Leigh non mi contraddirà in nulla. L'ultima volta che Leigh fece un viaggio per conto del Tesoro americano, tornava da New York a Londra, (mancavano pochi giorni alla fine della guerra) portando sotto la sua responsabilità quattro casse piene di dollari. Il vapore sul quale si trovava fu silurato vicino alla costa meridionale dell'Irlanda nel bel mezzo di una tempesta. Fu soccorso da un cacciatorpediniere nel momento in cui cominciava ad affogare. Due casse poterono essere salvate e issate a bordo del piccolo naviglio da guerra, il quale, privato del suo telegrafo dalla violenza dell'uragano, raggiunse a stento il sud dell'Inghilterra. La tempesta durava da tre giorni. Il cacciatorpediniere entrò finalmente nella baia di Pawsey, ma, per sua disgrazia, anche lui fu silurato da un sottomarino tedesco. In quell'epoca, Cardew era rovinato, essendosi impegnato in speculazioni pazzesche col denaro della sua clientela. Un consigliere municipale, suo cliente, lo denunciò e la polizia stava per occuparsi della faccenda, quando improvvisamente il cliente ritirò la denuncia, annunciando di aver recuperato tutto il suo denaro. Saprete ora, come era stato pagato.

Super vuotò un gran bicchiere di birra e riprese il suo racconto. — La notte del siluramento, Cardew era a Beach Cottage e aveva deciso di suicidarsi. Ma prima, con la precisione che aveva conservato dall'esercizio della professione, redasse la confessione di tutte le sue colpe con l'intenzione di mandarla alla polizia. Aveva appena finito quella lettera, quando sentì l'esplosione e si recò sulla spiaggia. In quel momento, e per qualche minuto almeno, Cardew fu un uomo. Affrontò la furia del mare col piccolo *yacht* che possedeva e scorse subito una specie di zattera occupata dai due soli sopravvissuti del cacciatorpediniere. Quei due uomini avevano con sé le due casse del Tesoro americano messe in salvo dal primo siluramento. Uno dei due uomini era Leigh, mezzo morto; l'altro, Elson, un *cow boy* imbarcatosi come marinaio per sfuggire alla polizia americana. Elson svelò a Cardew la natura del contenuto delle casse che furono portate sulla spiaggia e messe all'asciutto. In quel momento Leigh cominciò a riprendere i sensi. Elson sapeva che era lui che aveva la responsabilità del denaro e che il solo mezzo di impadronirsi delle casse, era quello di farlo sparire. Se a questo proposito abbia consultato o no Cardew, non ha importanza, il fatto è che colpì Leigh con un colpo di scure alla testa e lo gettò in mare. Come Leigh abbia fatto a sfuggire alla morte, Dio solo lo sa. Ogni traccia di lui scomparve per un anno intero. È probabile che sia stato raccolto in un ospedale e che vi abbia passato una gran parte del primo anno. Elson e Cardew portarono le casse a Beach Cottage, e Hannah Shaw dovette essere informata di tutto. Il legno delle casse fu bruciato e il denaro diviso fra i tre complici. Hannah conosceva la situazione disperata del notaio. Secondo me, quando Cardew uscì, spaventato dall'esplosione, ella scoprì la confessione che egli aveva nascosto e la tenne per sé. Lui non lo seppe che molto più tardi.

— Tutto questo, voi l'avete indovinato?

— Lo sapevo. La busta trovata per terra, quando portarono via il cadavere di Hannah, mi fece capire molte cose. La casa di Barley Stack era coperta d'ipoteche che furono subito estinte. Cardew pagò tutti i suoi debiti e infine vendette il suo studio. Aveva evidentemente di che cosa vivere una volta ritiratosi dagli affari, e avrebbe potuto essere felice per tutta la vita, se Hannah non fosse stata ambiziosa. Ma ella lo era, e voleva prendere il posto di colei che per bontà l'aveva accolta in casa, molti anni prima, quando uscì dall'orfanotrofio. Forte della posizione che le conferivano gli ultimi avvenimenti, Hannah cominciò a far la corte all'ex notaio e da allora non gli lasciò un minuto di requie. Una volta, giunse fino a scrivere sul prato di Barley Stack, servendosi di biglietti da cento dollari, l'iniziale del nome del cacciatorpediniere inglese silurato; e ciò perché l'ex notaio ricordasse, una volta di più, l'arma che ella possedeva contro di lui. Ve ne ricordate, vero? Fu la signorina Leigh che ve lo raccontò.

— Ma tutto questo, lo sapevate da tempo?

Super scrollò la testa. — Ne sapevo una buona parte. Mi domandavo anche che cosa avrebbe fatto Elson quando avesse saputo che Cardew aveva ucciso Hannah, e la faccenda mi teneva preoccupato. Lattimer lo stava lavorando da mesi e in parecchie occasioni gli aveva chiesto denaro in prestito in modo che l'americano pensasse di tenerlo obbligato e di avere in lui una specie di amico forzato. Speravo che una notte o l'altra dopo aver molto bevuto, finisse per raccontare tutto al mio sergente. Questi stava facendo dunque, e da tempo, la parte del poliziotto scroccone, e a questo proposito debbo dire che la faceva con un talento quasi allarmante, tanto lavorava a coscienza. Egli seguiva letteralmente le mie istruzioni e non le trasgredì che una sola volta: quando ultimamente mi seguì a Londra, quando avrebbe dovuto restare di guardia al posto di polizia. Quel pazzo credeva che Cardew m'avesse teso un tranello in città.

— È stato dunque Cardew che tentò di strangolare Elfa Leigh?

— Sì. Lattimer era sul tetto, nel punto che gli avevo indicato. Vi era salito servendosi di una grande scala appoggiata dietro la casa appena scesa la notte. Udì il rumore che faceva la canna di bambù contro la finestra, ma non vide niente di quello che succedeva fino al momento in cui l'abbaino che dava sul tetto si aprì violentemente. Lattimer aspettò pronto a balzare su colui che fosse uscito da quel finestrino, ma siccome non usciva nessuno, capì che si trattava di una manovra destinata a distrarre la sua attenzione e si precipitò verso la scala che discese al volo scivolando sul corrimano. Ed ecco perché gli vedeste le mani graffiate e i calzoni bucati.

Jim era visibilmente sconvolto da tutto quanto stava ascoltando. — Perché domandavate a Cardew, la mattina in cui fu trovato cloroformizzato, se non aveva le mani graffiate?

— E perché fu cloroformizzato? — domandò Super con un sorriso di soddisfazione. — Egli si servì in quell'occasone di un trucco elementare, come vedrete. Aveva pagato un tipo incontrato per la strada perché portasse via la torta avvelenata. La fortuna mi fa incontrare il tipo in questione. Corro da Cardew, gli faccio digerire un racconto fantastico che riguarda Sullivan e lo supplico di fargli subire un interrogatorio. Cardew capisce che l'uomo lo riconoscerà immediatamente ma non può rifiutarmi quello che io gli chiedo. Ed ecco l'origine del trucco del cloroformio. Egli aveva presso di sé una quantità di droghe diverse. Imbeve di cloroformio un grosso tampone, getta la bottiglietta dalla finestra, si stende sul letto e si applica il tampone sul viso. Ci mancò poco che non ci lasciasse la pelle perché ha il cuore debole. Se gli esaminai le dita da vicino, era semplicemente per annusarle. Sapete bene che io ho un buon naso. Il giorno in cui ci sparò contro nella "giungla" a Hill Brow, io sentii ancora un tanfo di cloroformio. C'è una quantità di persone che sostengono che l'odore di questo anestetico scompare una mezz'ora dopo la sua evaporazione. Mandatele da me, se vogliono sapere veramente come stanno le cose. Caro Ferraby, voi non mi sentirete mai più parlar male dei poliziotti dilettanti. Ora, ho il più grande rispetto per l'antropologia e la psicologia m'ha definitivamente sedotto. C'è stato anche il furto nel suo ufficio, durante il quale egli bruciò tutte le carte della sua governante. Ma il ladro era lui, e invece di accendere la luce e di abbassare la tenda della finestra per occultarla, lavorò al buio; e quando io abbassai la tenda ne cadde una fattura vecchia di un mese che era rimasta impigliata nelle sue pieghe in seguito a un colpo di vento.

L'investigatore posò il suo bicchiere e si batté la fronte.

— Ho lasciato solo il povero boia e certo non sa dove andare — disse con un tono di rammarico.

— E perché poi avete condotto qui quell'uccellaccio?

— Era la goccia destinata a far traboccare il vaso. Avevamo anche tentato di spaventare Elson. Lattimer aveva appiccicato alla sua porta un avvertimento minaccioso e non si sarebbe mai aspettato il risultato che ne venne. Aveva pensato che Elson avrebbe confessato tutto e particolareggiatamente. Invece, appena sentì Leigh cantare nel bosco, non seppe far altro che telefonare, come un imbecille, a Cardew per informarlo di tutto. Lo seppi, perché già da allora facevo intercettare le conversazioni telefoniche fra Hill Brow e Barley Stack. Fu allora che Cardew tentò di uccidermi per mezzo della mia trappola per le volpi. Quanto a quello che è successo questa sera, per esser franco debbo dirvi che Cardew è stato più forte di quanto non credessi. Sapendo che il suo sistema nervoso era esaurito, credevo che il colpo della presentazione del boia sarebbe stato decisivo e che, decidendo finalmente di abbandonare la partita, Cardew confessasse. Quell'uomo possiede veramente un carattere a tutta prova.

E Super scrollò la testa.

— In quanto a Big-Foot...

— Big-Foot?

— Sì, l'uomo dai piedi enormi. Quei piedi, li ho io. Li ho a casa mia, sotto il mio letto. Per meglio dire non sono due piedi, ma un paio di scarpe enormi, comprate da un negoziante di attrezzi teatrali in Catherine Street. L'orma di quei piedi giganteschi era destinata a gettare la polizia su una falsa strada; ma l'eccezione conferma la regola una volta di più, poiché quell'uomo che non dimenticava niente, il previdente Cardew, lasciò quelle scarpe sotto il sedile posteriore della sua automobile, proprio dove io le trovai. La storia della lettera minacciosa ricevuta da Hannah e firmata Big-Foot era un altro stratagemma destinato a fuorviare la polizia. Miss Shaw non ricevette mai lettere da Big-Foot. Cardew faceva i suoi preparativi, semplicemente...

Jim Ferraby, seduto sulla sua poltrona, con la bocca semiaperta, ammirava Super. — Siete un genio! — esclamò, vinto dalla sorpresa e dalla commozione.

— Deduzioni e teorie — spiegò modestamente il grande investigatore.

— E in questo momento mi è venuto un lampo di genio... C'è un'altra via per fuggire da Londra!

Era l'una e mezzo del mattino. Il Tamigi era deserto e silenzioso. In lontananza, verso il nord, il riflesso azzurrino delle lampade ad arco si rifletteva nell'acqua del fiume. Un bel panfilo a motore scivolava dolcemente e senza fare il minimo rumore sulle acque nerastre, annunciato soltanto dalla luce tranquilla dei suoi fuochi di posizione, rosso a babordo, verde a tribordo. Nella sua marcia lenta e graziosa, pareva lasciasse con rammarico le rive del fiume romantico. Davanti a Gravesend accelerò un po' l'andatura per virare a sinistra ed evitare un grosso vapore. Aveva già quasi oltrepassato l'alta massa oscura, quando dall'ombra scaturì velocemente una piccola lancia a motore che si diresse verso la prua del panfilo.

— Chi siete? — domandò una voce nasale dal buio della notte.

— Panfilo a motore *Cecily*, appartenente al conte di Freslac. Destinazione Bruges — rispose qualcuno.

Da bordo del *Cecily* si poteva distinguere in basso la sagoma del motoscafo che si avvicinava. Allora il comandante parve indovinare il pericolo, perché si udì il ruggito delle macchine e uno sforzo furioso e profondo del panfilo che pareva volesse balzar fuori dal fiume oscuro.

Ma era troppo tardi. Con un salto Super era balzato sul ponte.

— Un punto per me, Cardew!

— Anche le vostre teorie e le vostre deduzioni qualche volta sono giuste — convenne Cardew sorridendo, mentre le manette si chiudevano fredde intorno ai suoi polsi.

FINE

Il Giallo Economico Classico

1. **Agatha Christie**, *Poirot e il mistero di Styles Court*
2. **Edgar Wallace**, *L'abate nero*
3. **S.S. Van Dine**, *L'enigma dell'alfiere*
4. **Earl Derr Biggers**, *Charlie Chan e il pappagallo cinese*
5. **Joseph S. Fletcher**, *Il mistero di Marchester Royal*
6. **Edgar Wallace**, *La porta dalle sette chiavi*
7. **Earl Derr Biggers**, *Charlie Chan e il cammello nero*
8. **Edgar Wallace**, *L'orma gigante*
9. **S.S. Van Dine**, *La dea della vendetta*
10. **Edgar Wallace**, *Il segno del potere*

Di prossima pubblicazione:

11. **Mary Roberts Rinehart**, *Morte sul castello di poppa*
12. **Edgar Wallace**, *Lo smeraldo maledetto*
13. **Anna K. Green**, *Due iniziali soltanto...*
14. **Joseph S. Fletcher**, *Il mistero del diamante giallo*